Excel 2003
Fonctions avancées

ISBN : 2-7460-2156-0
Imprimé en France

Editions ENI

BP 32125
44021 NANTES Cedex 1
Tél. : 02.51.80.15.15
Fax : 02.51.80.15.16

e-mail : editions@ediENI.com
http://www.editions-eni.com

La collection **Repère** est dirigée par Corinne HERVO

AVANT-PROPOS

La collection **Repère** est destinée à toute personne qui débute en micro-informatique. Elle est conçue pour vous donner des explications claires, très détaillées, à l'aide de termes simples et précis. Ces explications sont basées sur la règle "un titre - un écran" : chaque commande est illustrée par une boîte de dialogue ou par un écran d'exemple :

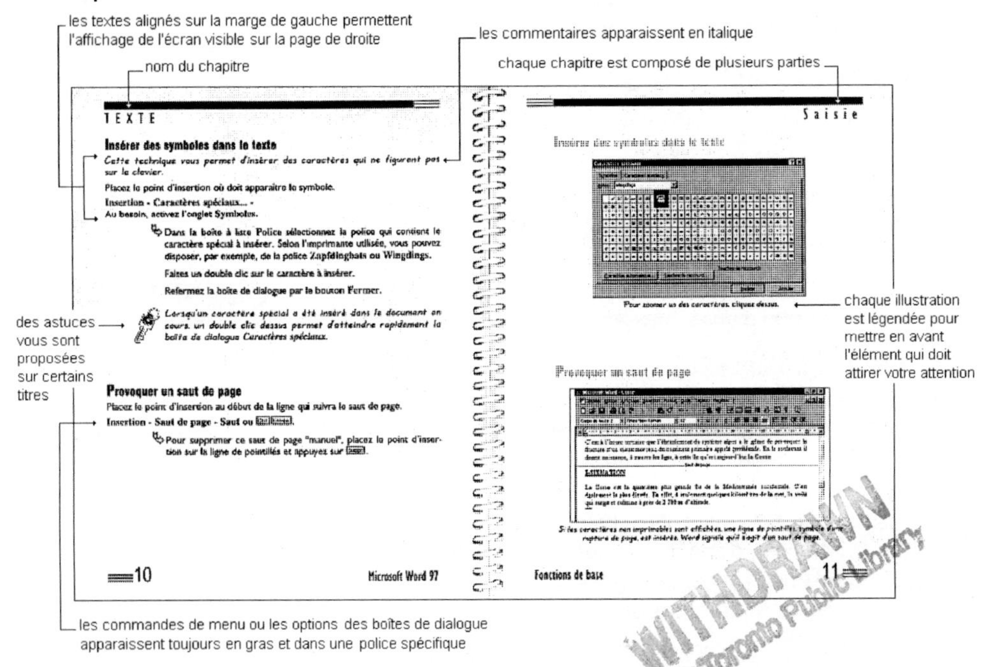

Ce support devant être le plus complet possible, nous avons choisi de vous présenter toutes les solutions permettant d'effectuer une manipulation en les caractérisant à l'aide des icônes (solution menu), (solution souris) et (solution clavier).

Chaque support de la collection **Repère** est organisé en chapitres de plusieurs parties correspondant à un thème. L'organisation générale de l'ouvrage est détaillée dans la **Table des matières** qui suit.

En fin d'ouvrage, une annexe dresse la liste des raccourcis-clavier et l'**Index** permet de retrouver rapidement la page correspondant à un point précis.

Table des matières

GRAPHIQUES — Chapitre 3

LISTE DE DONNÉES — Chapitre 4

■ TABLEAUX/GRAPHIQUES CROISÉS

TRAVAIL COLLABORATIF — Chapitre 5

■ PROTECTION

■ TRAVAIL DE GROUPE

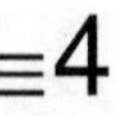

ANNEXES

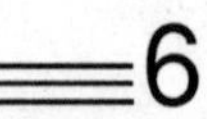

Chapitre 1

MODÈLES/ STYLES ET PLANS

Créer un style

*Un **style** permet d'enregistrer une présentation afin de l'appliquer rapidement à d'autres cellules.*

Activez la cellule dont les paramètres de présentation doivent être enregistrés.

Format - Style ou [Alt] '

Saisissez le **Nom du style** à créer dans la zone correspondante.

Décochez les éventuelles mises en valeur à ne pas inclure dans le style.

Au besoin, modifiez certaines mises en valeur grâce au bouton **Modifier**.

Validez par le bouton **OK**.

Les styles sont définis uniquement pour le classeur actif.

Appliquer un style

Sélectionnez les cellules à mettre en valeur.

Format - Style ou [Alt] '

Ouvrez la liste **Nom du style** puis sélectionnez le style à utiliser.

Cliquez sur le bouton **OK** pour valider votre choix.

Créer un style

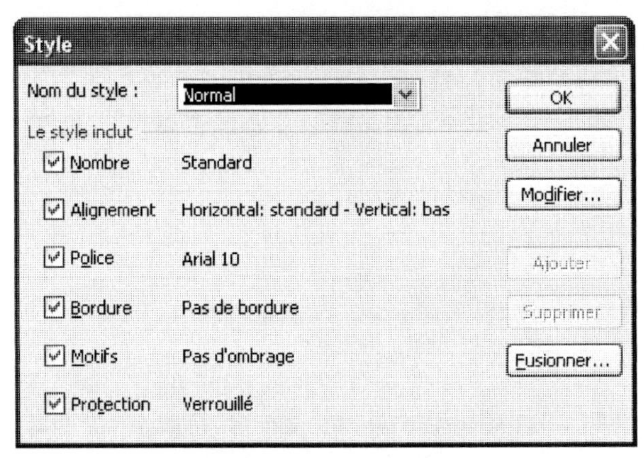

La description du style est affichée dans la zone ***Le style inclut***.

Appliquer un style

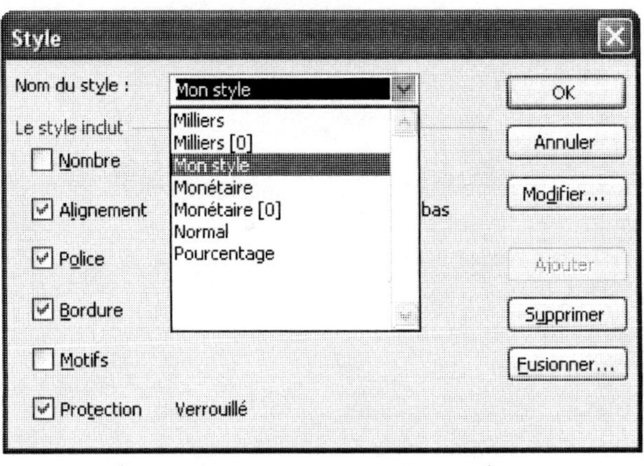

Les styles créés peuvent être utilisés dans n'importe quelle feuille du classeur.

Intégrer les styles d'un autre classeur

Cette méthode va vous permettre de copier des styles d'un classeur vers un autre classeur.

Ouvrez le classeur qui contient les styles et celui dans lequel ils doivent être intégrés.

Le classeur dans lequel les styles doivent être copiés doit être le document actif, donc visible à l'écran.

Format - Style ou Alt '
Cliquez sur le bouton **Fusionner**.

Parmi la liste de tous les classeurs ouverts, faites un double clic sur celui qui contient les styles à utiliser.

*Si le document actif contient des styles portant le même nom que les styles à copier, un message d'alerte apparaît. Cliquez sur **Oui** pour remplacer les styles du document actif, sur **Non** pour conserver les styles du document actif ou sur **Annuler** pour annuler la fusion.*

Pour appliquer le style aux cellules sélectionnées, sélectionnez-le puis cliquez sur le bouton **OK**.

Pour fermer la boîte de dialogue **Style** sans appliquer de style, cliquez sur **Fermer**.

Gérer les styles existants

Pour modifier un style, exécutez la commande **Format - Style** ou utilisez le raccourci-clavier Alt '.
Sélectionnez dans la liste **Nom du style** le style à modifier puis cliquez sur le bouton **Modifier**.

Réalisez vos modifications puis cliquez sur **OK** puis de nouveau sur **OK** pour fermer la boîte de dialogue **Style**.
Pour supprimer un style, exécutez la commande **Format - Style** ou Alt '.
Sélectionnez le **Nom du style** à supprimer puis cliquez sur le bouton **Supprimer**.

Toutes les cellules où le style avait été appliqué perdent leur mise en forme et retrouvent une mise en forme standard.
Attention, vous ne pouvez pas annuler la suppression d'un style.
Cliquez sur le bouton **OK** pour fermer la boîte de dialogue **Style**.

Intégrer les styles d'un autre classeur

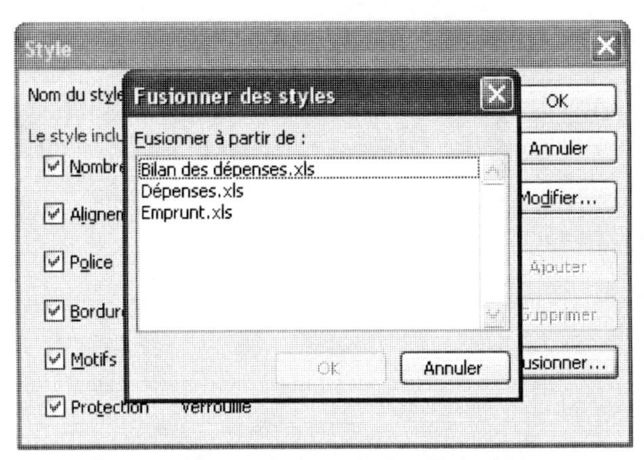

*La liste **Fusionner à partir de** affiche le nom de tous les documents ouverts dans Excel.*

Gérer les styles existants

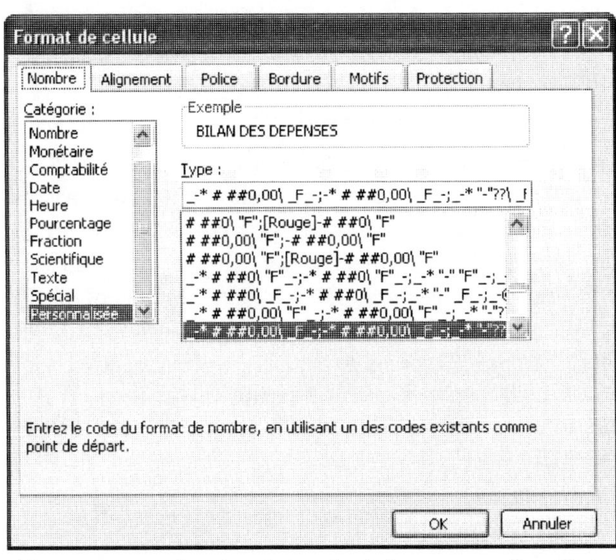

Vous retrouvez la même boîte de dialogue que celle utilisée pour formater les cellules dans une feuille de calcul.

Créer un modèle de classeur personnalisé

*Un **modèle** est un document contenant des présentations, des données... pouvant être exploitées lors de la création de nouveaux classeurs.*

Élaborez le document modèle en y intégrant les éléments communs aux classeurs qui seront créés à partir du modèle. Définissez, si besoin, des protections sur les feuilles ou sur les cellules.

Fichier - Enregistrer sous

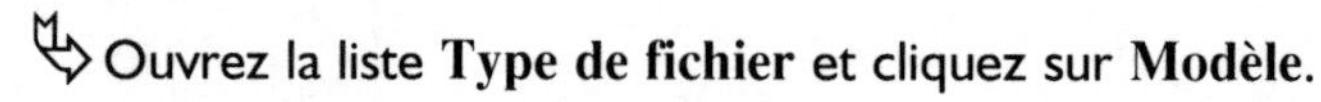

Ouvrez la liste **Type de fichier** et cliquez sur **Modèle**.

Pour enregistrer le modèle sur le serveur MSN, cliquez sur le bouton **Favoris réseau** puis faites un double clic sur **Mes sites Web sur MSN**. Dans ce cas, le dossier de stockage des modèles est généralement **Mes Documents Web\Documents**.

Lors du premier accès à Mes sites Web sur MSN pour y stocker des informations, vous devez vous identifier à l'aide de votre Microsoft.Net Passport. Pour cela, complétez la boîte de dialogue proposée.

Précisez ensuite le nom du modèle en complétant le champ **Nom de fichier**.

Sélectionnez, si besoin est, un autre dossier ou un sous-dossier de **Modèles**.

Cliquez sur le bouton **Enregistrer**.

L'extension attribuée aux fichiers modèles est XLT (selon les paramètres définis dans Windows, l'extension peut être masquée).
Pour modifier le modèle, procédez comme pour un document quelconque, sans oublier de sélectionner **Modèle** dans la liste **Type de fichiers** de la boîte de dialogue **Ouvrir**. En règle générale, les modèles sont enregistrés dans C:\Documents and settings\nom Utilisateur\Application Data\Microsoft\Modèles lorsqu'ils sont enregistrés sur votre disque dur ou accessibles par **Favoris réseau - Mes sites Web sur MSN - Mes documents Web - Documents** lorsqu'ils sont enregistrés sur le serveur MSN.

Créer un modèle de classeur personnalisé

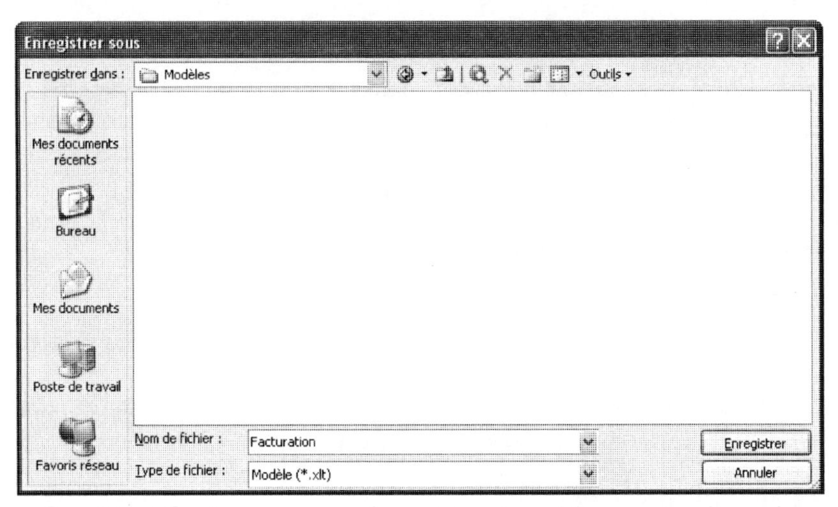

*Par défaut, Excel vous propose d'enregistrer le modèle sur votre disque dur dans un dossier intitulé **Modèles**.*

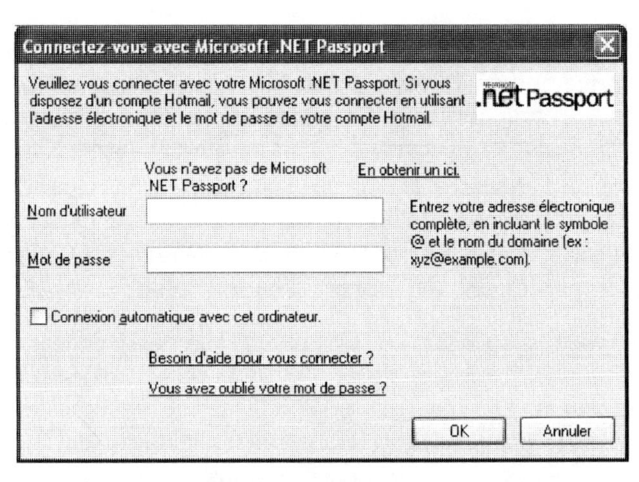

*Si vous disposez d'une adresse électronique hotmail, celle-ci fait office de passeport Microsoft. Dans le cas contraire, vous pouvez **En obtenir un ici** en cliquant sur le lien correspondant.*

Créer un plan

Un plan vous permet de visualiser ou d'imprimer uniquement les résultats principaux d'un tableau sans le détail des données. Un plan peut être créé automatiquement ou manuellement.

Pour créer un plan automatiquement, sélectionnez le tableau concerné puis exécutez la commande **Données - Grouper et créer un plan - Plan automatique**.

Pour créer un plan manuellement, sélectionnez les lignes ou les colonnes contenant les données de détails correspondant au premier groupe.

*Les lignes ou les colonnes de détail sont généralement situées à côté de la ligne ou de la colonne contenant les **données de synthèses** (par exemple un Total).*

Données - Grouper et créer un plan - Grouper

Créez les autres groupes de la même façon jusqu'à ce que vous ayez créé tous les niveaux souhaités dans le plan.
Pour retirer une ligne ou une colonne du plan, sélectionnez-la puis utilisez **Données - Grouper et créer un plan - Dissocier**.

Utiliser les plans

Pour masquer les colonnes ou les lignes subordonnées, cliquez sur le bouton [-] correspondant. Pour masquer tous les groupes de même niveau, cliquez sur le bouton numéroté [1 2 3] correspondant au niveau. Pour masquer tous les détails d'un plan, cliquez sur le bouton [1] correspondant au premier niveau.

Pour réafficher les colonnes ou lignes subordonnées, cliquez sur chaque bouton [+] correspondant.
Pour réafficher tous les groupes de même niveau, cliquez sur le bouton numéroté correspondant au niveau suivant (cliquez, par exemple, sur le bouton [3] pour réafficher tous les groupes de niveau 3).
Pour détruire un plan, cliquez sur une cellule quelconque de la feuille de calcul puis exécutez la commande **Données - Grouper et créer un plan** puis cliquez sur l'option **Effacer le plan**.

Si vous supprimez un plan alors que les données de détails sont masquées, il est possible que les lignes ou les colonnes de détails restent masquées. Dans ce cas, pour afficher de nouveau les données, faites glisser le pointeur de la souris sur les numéros de lignes ou les lettres de colonnes qui restent encore visibles puis ouvrez le menu **Format**. Pointez l'option **Ligne** ou **Colonne** selon le cas, puis cliquez sur l'option **Afficher**.

Créer un plan

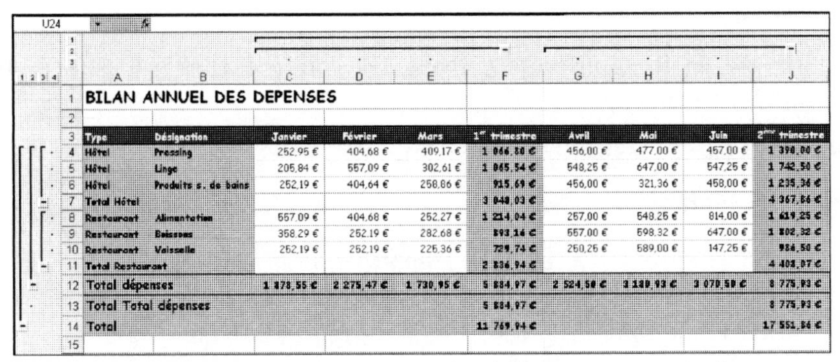

	A	B	C	D	E	F	G	H	I	J
1	BILAN ANNUEL DES DEPENSES									
2										
3	Type	Désignation	Janvier	Février	Mars	1er trimestre	Avril	Mai	Juin	2ème trimestre
4	Hôtel	Pressing	252,95 €	404,68 €	409,17 €	1 066,80 €	456,00 €	477,00 €	457,00 €	1 390,00 €
5	Hôtel	Linge	205,84 €	557,09 €	302,61 €	1 065,54 €	548,25 €	647,00 €	547,25 €	1 742,50 €
6	Hôtel	Produits s. de bains	252,19 €	404,64 €	258,86 €	915,69 €	456,00 €	321,36 €	458,00 €	1 235,36 €
7	Total Hôtel					3 048,03 €				4 367,86 €
8	Restaurant	Alimentation	557,09 €	404,68 €	252,27 €	1 214,04 €	257,00 €	548,25 €	814,00 €	1 619,25 €
9	Restaurant	Boissons	358,29 €	252,19 €	282,68 €	893,16 €	557,00 €	598,32 €	647,00 €	1 802,32 €
10	Restaurant	Vaisselle	252,19 €	252,19 €	225,36 €	729,74 €	250,25 €	589,00 €	147,25 €	986,50 €
11	Total Restaurant					2 836,94 €				4 408,07 €
12	Total dépenses		1 878,55 €	2 275,47 €	1 730,95 €	5 884,97 €	2 524,50 €	3 180,93 €	3 070,50 €	8 775,93 €
13	Total Total dépenses					5 884,97 €				8 775,93 €
14	Total					11 769,94 €				17 551,86 €
15										

Des boutons permettant de gérer les différents niveaux du plan apparaissent à gauche et au-dessus de la feuille de calcul.

Utiliser les plans

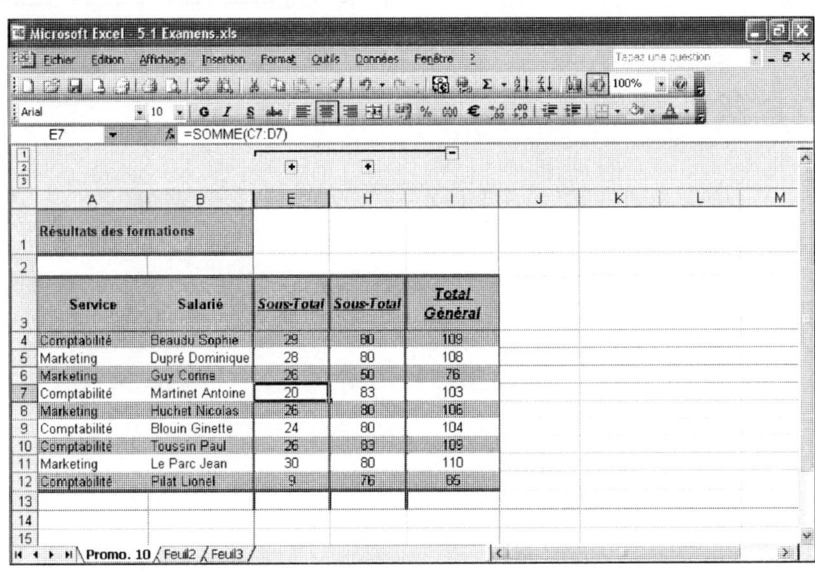

	A	B	E	H	I
1	Résultats des formations				
2					
3	Service	Salarié	Sous-Total	Sous-Total	Total Général
4	Comptabilité	Beaudu Sophie	29	80	109
5	Marketing	Dupré Dominique	28	80	108
6	Marketing	Guy Corine	26	50	76
7	Comptabilité	Martinet Antoine	20	83	103
8	Marketing	Huchet Nicolas	26	80	106
9	Comptabilité	Blouin Ginette	24	80	104
10	Comptabilité	Toussin Paul	26	83	109
11	Marketing	Le Parc Jean	30	80	110
12	Comptabilité	Pilat Lionel	9	76	85

Sur cet écran, les colonnes appartenant au niveau 2 ne sont plus visibles. Les boutons [-] se transforment en [+]

Insérer des lignes de statistiques

Il s'agit d'ajouter des lignes de sous-totaux.

Triez le tableau en fonction de la colonne qui contiendra les groupes devant faire l'objet d'un sous-total.

Sélectionnez le tableau concerné par les lignes de statistiques.

Données - Sous-totaux

Dans la liste **À chaque changement de**, sélectionnez la colonne qui contient les groupes devant faire l'objet d'un calcul statistique.

Choisissez ensuite dans la liste **Utiliser la fonction** le calcul à effectuer.

Enfin, cochez les colonnes qui contiennent les valeurs sur lesquelles les calculs seront effectués.

Cochez l'option **Remplacer les sous-totaux existants** pour remplacer les éventuels sous-totaux existants par les nouveaux sous-totaux.

Cochez l'option **Saut de page entre les groupes** pour insérer automatiquement des sauts de page après chaque groupe de sous-totaux.

Laissez l'option **Synthèse sous les données** cochée pour réaliser des sous-totaux et des totaux sous les données détaillées. Si cette option est décochée, seuls les sous-totaux apparaîtront au-dessus des données détaillées.

Cliquez sur le bouton **OK**.

Excel calcule les statistiques demandées et construit un plan à partir d'elles.

Pour supprimer tous les sous-totaux du tableau sélectionné, cliquez sur le bouton **Supprimer tout** de la boîte de dialogue **Sous-total** (**Données - Sous-totaux**).

Insérer des lignes de statistiques

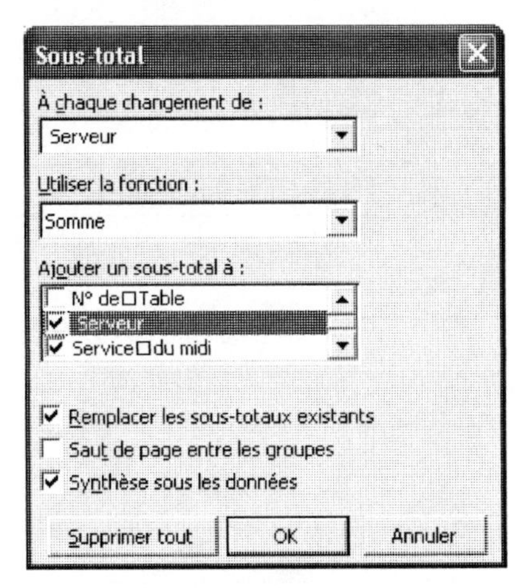

Dans cet exemple, nous souhaitons calculer la somme par Serveur et par Service du midi, à chaque changement du Serveur.

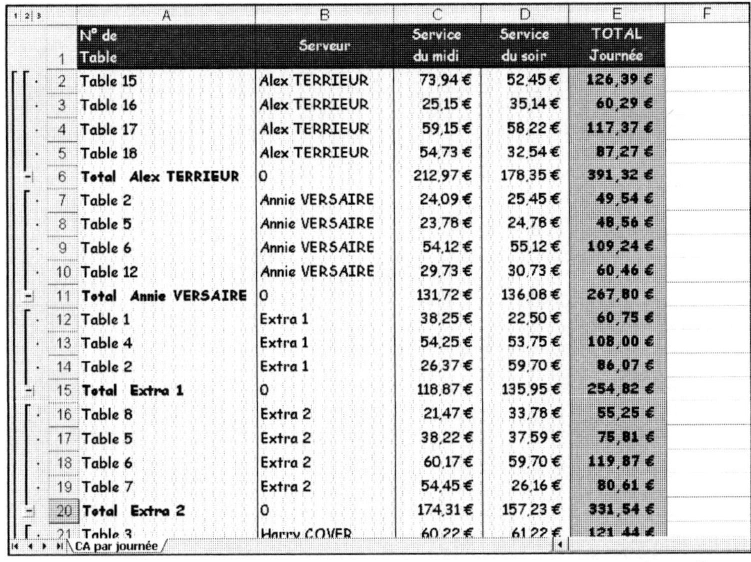

	N° de Table	Serveur	Service du midi	Service du soir	TOTAL Journée
2	Table 15	Alex TERRIEUR	73,94 €	52,45 €	126,39 €
3	Table 16	Alex TERRIEUR	25,15 €	35,14 €	60,29 €
4	Table 17	Alex TERRIEUR	59,15 €	58,22 €	117,37 €
5	Table 18	Alex TERRIEUR	54,73 €	32,54 €	87,27 €
6	**Total Alex TERRIEUR**	0	212,97 €	178,35 €	391,32 €
7	Table 2	Annie VERSAIRE	24,09 €	25,45 €	49,54 €
8	Table 5	Annie VERSAIRE	23,78 €	24,78 €	48,56 €
9	Table 6	Annie VERSAIRE	54,12 €	55,12 €	109,24 €
10	Table 12	Annie VERSAIRE	29,73 €	30,73 €	60,46 €
11	**Total Annie VERSAIRE**	0	131,72 €	136,08 €	267,80 €
12	Table 1	Extra 1	38,25 €	22,50 €	60,75 €
13	Table 4	Extra 1	54,25 €	53,75 €	108,00 €
14	Table 2	Extra 1	26,37 €	59,70 €	86,07 €
15	**Total Extra 1**	0	118,87 €	135,95 €	254,82 €
16	Table 8	Extra 2	21,47 €	33,78 €	55,25 €
17	Table 5	Extra 2	38,22 €	37,59 €	75,81 €
18	Table 6	Extra 2	60,17 €	59,70 €	119,87 €
19	Table 7	Extra 2	54,45 €	26,16 €	80,61 €
20	**Total Extra 2**	0	174,31 €	157,23 €	331,54 €
21	Table 3	Harry COVER	60,22 €	61,22 €	121,44 €

CA par journée

Dans cet exemple, vous visualisez la somme des ventes de chaque serveur par service et par journée.

NOTES PERSONNELLES

Chapitre 2

CALCULS

Utiliser l'aide aux fonctions

Activez la cellule où vous souhaitez afficher le résultat.

Insertion - Fonction ou [fx] (à gauche de la barre de formule) ou [Shift][F3]

La liste déroulante **Ou sélectionnez une catégorie** permet d'afficher les fonctions regroupées par catégorie.

*La catégorie **Les dernières utilisées** affiche la liste des dernières fonctions que vous avez utilisées ainsi que les plus courantes. La catégorie **Tous** affiche toutes les fonctions disponibles.*

Pour rechercher une fonction particulière, saisissez dans la zone **Recherchez une fonction** le nom exact de la fonction ou une description de l'utilisation que vous souhaitez en faire puis validez la recherche la touche [Entrée].

Cliquez sur la fonction recherchée dans le cadre **Sélectionnez une fonction** pour la sélectionner.

Si nécessaire, cliquez sur le lien **Aide sur cette fonction** pour obtenir une description plus détaillée de la fonction sélectionnée.

Excel affiche, dans une nouvelle fenêtre, l'aide correspondant à la fonction sélectionnée.

Cliquez sur le bouton **OK** pour activer la boîte de dialogue **Insérer une fonction** afin de poursuivre la saisie de la formule. Sinon, cliquez sur **Annuler** pour ne pas insérer de formule.

Obtenir la valeur absolue d'un nombre

Activez la cellule concernée.

Utilisez la fonction =**ABS**(nombre).

Validez la saisie par la touche [Entrée].

Le montant apparaît positif.

Utiliser l'aide aux fonctions

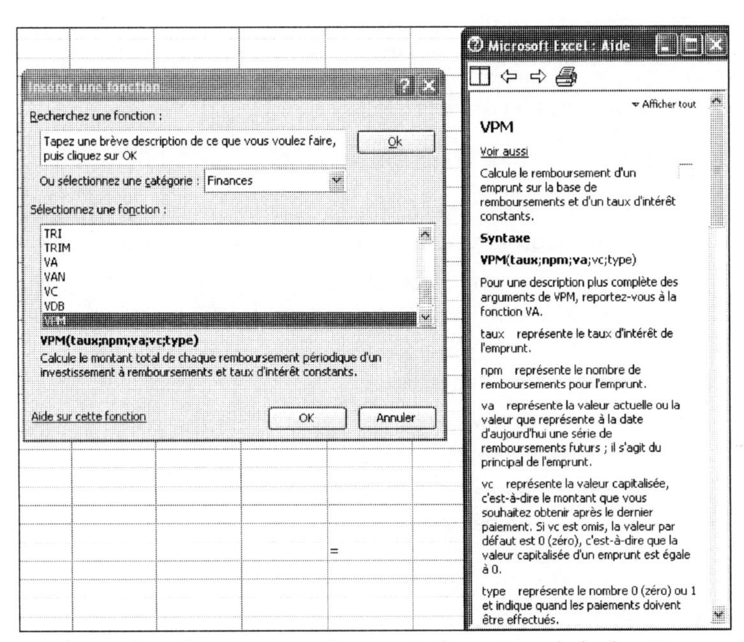

Lorsqu'une fonction est sélectionnée, la syntaxe de la fonction ainsi qu'une description s'affiche en dessous du cadre.

Obtenir la valeur absolue d'un nombre

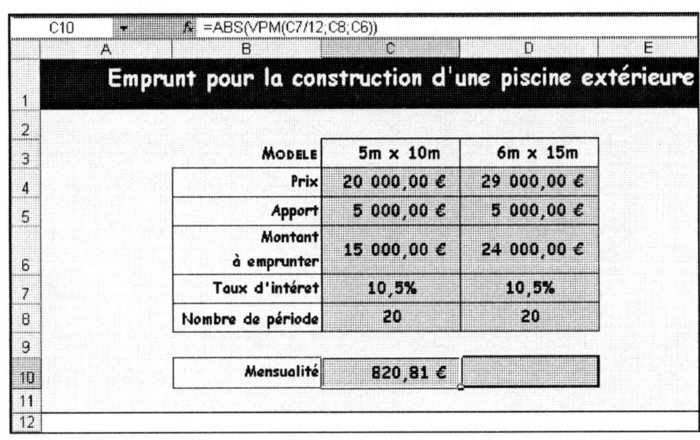

	C	D
Modele	5m x 10m	6m x 15m
Prix	20 000,00 €	29 000,00 €
Apport	5 000,00 €	5 000,00 €
Montant à emprunter	15 000,00 €	24 000,00 €
Taux d'intéret	10,5%	10,5%
Nombre de période	20	20
Mensualité	820,81 €	

Dans cet exemple, en D10, nous recherchons la valeur absolue du montant du remboursement (mensualité).

Calculer la valeur d'un remboursement

*La fonction **VPM** permet de calculer le remboursement d'un emprunt sur la base de remboursements et d'un taux d'intérêt constants.*

Activez la cellule où vous souhaitez afficher le résultat.

Saisissez la formule en respectant la syntaxe suivante: =**VPM(taux;npm;va**;vc;type)

taux correspond au taux d'intérêt de l'emprunt ; s'il s'agit d'un taux annuel et que le résultat doit être une mensualité, il faut le diviser par 12.

npm correspond au nombre total de remboursements ; s'il représente des années et que le résultat doit être mensuel, il faut le multiplier par 12.

va représente la valeur actuelle du total des paiements futurs, ce qui correspond au principal de l'emprunt.

vc correspond au montant à obtenir après le dernier paiement (valeur capitalisée) ; s'il est omis il est égal à 0.

type nombre compris entre 0 et 1 qui précise quand les paiements sont échus ; si le type est 1, les remboursements sont échus en début de période, s'il est omis ou égal à 0 ceux-ci sont échus en fin de période.

*Les arguments **vc** et **type** sont facultatifs.*

Validez la saisie par la touche Entrée.

Le résultat obtenu ne comprend que le principal et les intérêts de l'emprunt mais pas les charges, versements de garantie...

Pour obtenir une valeur positive, vous pouvez faire précéder la fonction VPM du signe moins (=-VPM).

L'utilisation de la palette de formule pour effectuer un calcul permet de visualiser la description de chaque argument ainsi que le résultat du calcul dans la partie inférieure de la fenêtre.

Pour calculer le montant total payé sur toute la durée de l'emprunt, il suffit de multiplier le résultat de la formule **VPM** par la valeur **npm**.

Calculer la valeur d'un remboursement

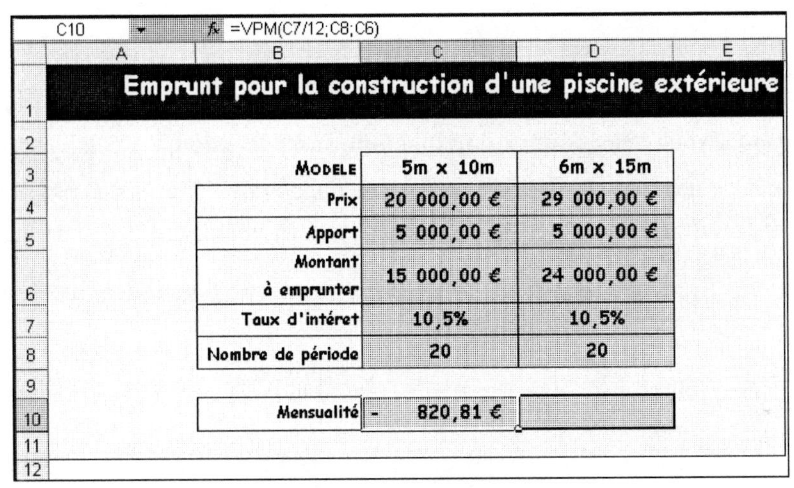

C10 =VPM(C7/12;C8;C6)

	A	B	C	D	E
1	Emprunt pour la construction d'une piscine extérieure				
2					
3		MODELE	5m x 10m	6m x 15m	
4		Prix	20 000,00 €	29 000,00 €	
5		Apport	5 000,00 €	5 000,00 €	
6		Montant à emprunter	15 000,00 €	24 000,00 €	
7		Taux d'intéret	10,5%	10,5%	
8		Nombre de période	20	20	
9					
10		Mensualité	- 820,81 €		
11					
12					

Les montants des remboursements (C10 dans notre exemple) sont toujours affichés sous forme négative.

Calculer la valeur du capital emprunté

Activez la cellule de résultat.

Insertion - Fonction ou [fx] (à gauche de la barre de formule) ou [Shift][F3]

Ouvrez la liste **Ou sélectionnez une catégorie** puis cliquez sur la catégorie **Finances**.

Cliquez dans la zone **Sélectionnez une fonction**, sur la fonction **VA**.

La syntaxe de la fonction ainsi qu'une brève description apparaissent dans la partie inférieure de la boîte de dialogue.

Cliquez sur le bouton **OK**.

*La boîte de dialogue **Arguments de la fonction** s'ouvre et présente les différents arguments à renseigner.*

Indiquez tous les arguments nécessaires en utilisant, si nécessaire, les boutons [ ] et [ ].

Taux correspond au taux d'intérêt de l'emprunt ; s'il s'agit d'un taux annuel et que le résultat doit être une mensualité, il faut le diviser par 12.

Npm correspond au nombre total de remboursements ; s'il représente des années et que le résultat doit être mensuel, il faut le multiplier par 12.

Vpm correspond au montant du remboursement de chaque période.

Vc correspond au montant à obtenir après le dernier paiement (valeur capitalisée) ; s'il est omis, il est égal à 0.

Type nombre compris entre 0 et 1 qui précise quand les paiements sont échus ; si le type est 1, les remboursements sont échus en début de période, s'il est omis ou égal à 0 ceux-ci sont échus en fin de période.

*Les arguments **Vc** et **Type** sont facultatifs.*

Notez qu'Excel décrit les arguments les uns après les autres, que la valeur des arguments renseignés s'affiche et qu'en arrière-plan, la formule apparaît dans la barre de formule.

Validez par le bouton **OK**.

*Comme avec la fonction **VPM**, le résultat est négatif. Pour le rendre positif, vous pouvez utiliser la fonction **ABS()**.*

Calculer la valeur du capital emprunté

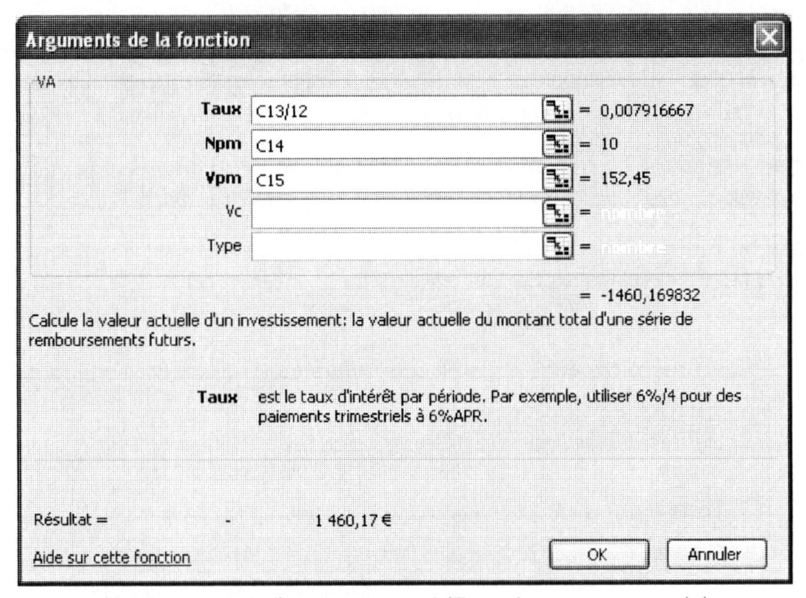

*Un descriptif de l'argument actif (**Taux** dans notre exemple) s'affiche dans la partie inférieure de la boîte de dialogue.*

Utiliser une formule matricielle

Cette formule a la particularité de pouvoir effectuer plusieurs calculs et de renvoyer des résultats simples ou multiples. Une formule matricielle ne peut intervenir que sur deux (ou plus) ensembles de valeurs appelés communément arguments matriciels. Ces derniers doivent avoir le même nombre de lignes et de colonnes.

Une formule matricielle se crée de la même façon qu'une autre formule à la différence près que vous devez appuyer sur les touches Ctrl Shift Entrée *pour la valider.*

Procédez comme pour un calcul ordinaire mais, au lieu de travailler par cellule, travaillez par plage de cellules et, au lieu de valider par Entrée ou Ctrl Entrée, validez par la combinaison des touches Ctrl Shift Entrée.

Voyons à travers trois exemples différents, l'utilisation d'une formule matricielle :
Pour simplifier la lecture des formules, nous avons nommé les zones :
***Client** (A2:A11), **Montant** (B2:B11) ; **Date** (C2:C11).*

Les formules matricielles ont été saisies en G2, G6 et G10 :

G2 {=SOMME(SI(Client="DUPONT Antoine";1;0))}
Par cette formule, nous recherchons dans la plage de cellules **Client**, l'occurrence "**DUPONT Antoine**" ; dans le cas où la condition est vérifiée, Excel ajoute **1**, sinon Excel ajoute **0**.

G6 {=SOMME(Montant*(Client="PETIT Thierry"))}
Par cette formule, nous demandons de calculer la somme des montants correspondant au client PETIT Thierry : **SOMME(Montant** tel que : *(le client s'appelle PETIT Thierry : **Client="PETIT Thierry"**.

G10 {=SOMME(Montant*(Client="PETIT Thierry")*(Date<= DATE(2003;4;1)))}
Par cette formule, nous demandons à calculer la somme des montants correspondant au client PETIT Thierry et datés avant le 1/4/2003 inclus : **SOMME(Montant** tel que :*(le client s'appelle PETIT Thierry : **Client= "PETIT Thierry** et tel que *(la date est inférieure ou égale au 1/4/2003 : **Date<=DATE(2003;4;1)**.

Utiliser une formule matricielle

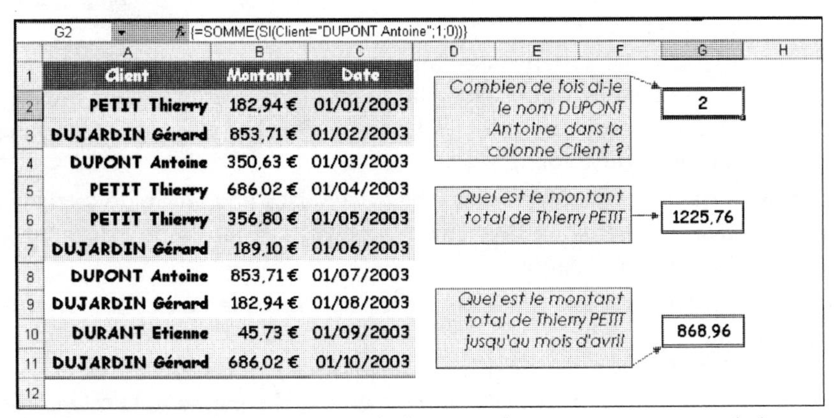

Client	Montant	Date
PETIT Thierry	182,94 €	01/01/2003
DUJARDIN Gérard	853,71 €	01/02/2003
DUPONT Antoine	350,63 €	01/03/2003
PETIT Thierry	686,02 €	01/04/2003
PETIT Thierry	356,80 €	01/05/2003
DUJARDIN Gérard	189,10 €	01/06/2003
DUPONT Antoine	853,71 €	01/07/2003
DUJARDIN Gérard	182,94 €	01/08/2003
DURANT Etienne	45,73 €	01/09/2003
DUJARDIN Gérard	686,02 €	01/10/2003

Dans la barre de formule, un calcul matriciel se reconnaît aux accolades qui l'entourent.

Consolider des données par position ou par catégorie

Cette technique permet d'appliquer une fonction (par exemple, une somme) à partir de valeurs contenues dans plusieurs tableaux.

Avant de lancer la consolidation proprement dite, vous devez vérifier que :

- Chaque plage de données à consolider doit constituer une liste, c'est-à-dire, contenir une étiquette en première ligne, des faits similaires par colonne, et la liste ne doit contenir aucune ligne ou colonne vide.
- Chaque plage de données source doit être placée dans une feuille de calcul distincte. Aucune des plages sources ne doit être placée dans la feuille de calcul sur laquelle vous allez placer la consolidation.
- En cas de consolidation par position : assurez-vous que toutes les plages ont la même position.
  En cas de consolidation par catégorie : assurez-vous que les étiquettes des colonnes ou des lignes que vous allez associer ont la même orthographe et la même casse.

Activez la feuille de consolidation puis la première cellule de destination de la consolidation.

Données - Consolider

Choisissez la **Fonction** de synthèse à utiliser pour consolider les données.

Accédez à la zone **Référence**. Pour chaque feuille à consolider, cliquez sur le bouton pour réduire la boîte de dialogue, accédez à la feuille de calcul puis sélectionnez les cellules concernées, cliquez sur le bouton pour afficher la boîte de dialogue, cliquez sur le bouton **Ajouter**.

Cochez l'option **Lier aux données source** si vous souhaitez créer un lien permanent entre les feuilles source et la feuille de consolidation.

Cochez ou non les options du cadre **Étiquettes dans** selon le cas :

- pour une consolidation par position : décochez les options car Excel ne copie pas les étiquettes de ligne ou de colonne des plages source. Si vous souhaitez des étiquettes pour les données consolidées, copiez-les depuis l'une des plages source.
- Pour une consolidation par catégorie : cochez la ou les options afin d'indiquer l'emplacement des étiquettes dans les plages source.

Cliquez sur le bouton **OK** pour valider.

Au bout de quelques instants tous les résultats consolidés sont proposés. Quand un lien a été demandé, Excel génère le plan du tableau.

Consolider des données par position ou par catégorie

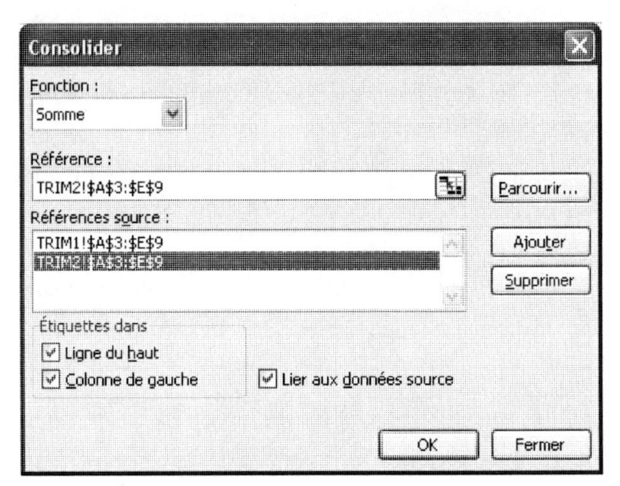

*Cette consolidation va calculer la somme des cellules **A3** à **E9** des feuilles **Trim1** et **Trim2**.*

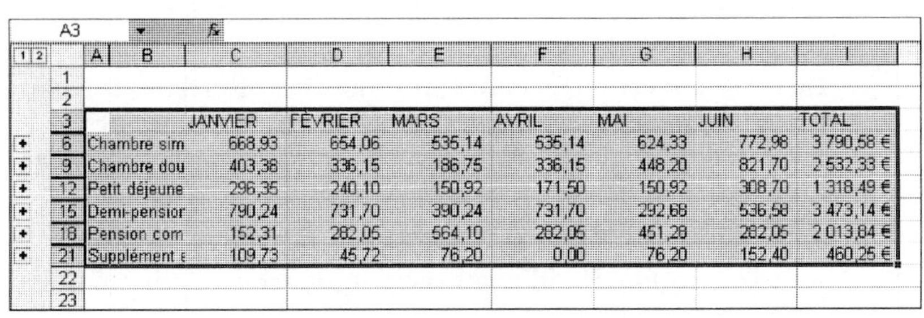

	JANVIER	FÉVRIER	MARS	AVRIL	MAI	JUIN	TOTAL
Chambre sim	668,93	654,06	535,14	535,14	624,33	772,98	3 790,58 €
Chambre dou	403,38	336,15	186,75	336,15	448,20	821,70	2 532,33 €
Petit déjeune	296,35	240,10	150,92	171,50	150,92	308,70	1 318,49 €
Demi-pensior	790,24	731,70	390,24	731,70	292,68	536,58	3 473,14 €
Pension com	152,31	282,05	564,10	282,05	451,28	282,05	2 013,84 €
Supplément ε	109,73	45,72	76,20	0,00	76,20	152,40	460,25 €

Aucune mise en forme n'est reprise dans le tableau de consolidation.

Effectuer une conversion monétaire

Outils - Conversion en euro (si la commande **Conversion en euro** n'est pas disponible, vous devez charger la macro complémentaire correspondante en cochant la ligne **Outils pour l'Euro** de la zone **Macros complémentaires disponibles** dans le menu **Outils - Macros complémentaires**)

↪ Cliquez sur [bouton] situé à droite de la zone **Plage source**. Sélectionnez la ou les cellules (consécutives) contenant les valeurs à convertir et cliquez sur [bouton] pour revenir à la boîte de dialogue. Cliquez sur [bouton] situé à droite de la zone **Plage destination**. Sélectionnez la cellule où vous désirez coller les valeurs converties et cliquez sur [bouton]. Dans la liste **De**, sélectionnez la monnaie des valeurs à convertir. Dans la liste **En**, sélectionnez la monnaie dans laquelle vous souhaitez convertir les valeurs.

Dans la liste **Format de résultat**, sélectionnez le format que vous désirez appliquer aux valeurs converties : **Monétaire...** pour appliquer un format monétaire correspondant à la monnaie choisie en gardant la mise en forme des cellules sources ; **ISO...** pour afficher le code ISO correspondant à la monnaie choisie (ex : FRF pour le franc français) ; **Aucun** pour conserver le format numérique en cours.

↪ Si une plage source contient des formules ou si vous voulez contrôler le système d'arrondi, cliquez sur le bouton **Avancé**.

Sélectionnez parmi les **Options de formules**, l'option de votre choix :

Convertir en valeur uniquement : Excel affiche le résultat des formules converti en euro (option sélectionnée par défaut).

Demander pour convertir les formules : pour chaque formule, Excel vous permet de choisir parmi plusieurs options pour effectuer la conversion.

Lier les nouvelles formules aux données d'origine : Excel utilise la fonction Euroconvert en liant le résultat à la donnée source.

*Pour inclure tous les chiffres significatifs sans arrondi dans les valeurs converties, cochez l'option **Précision de résultat maximale**.*

Pour définir le nombre de décimales sur lesquelles vous souhaitez travailler, cochez **Établir la précision de triangulation à** et indiquez le chiffre correspondant.

Cliquez sur **OK** puis une seconde fois sur **OK**.

Effectuer une conversion monétaire

Le ***Format de résultat*** *:* ***ISO*** *affiche le montant avec le code ISO (trois lettres) de la devise. Le format* ***Monétaire*** *affiche le montant avec le symbole de la devise.*

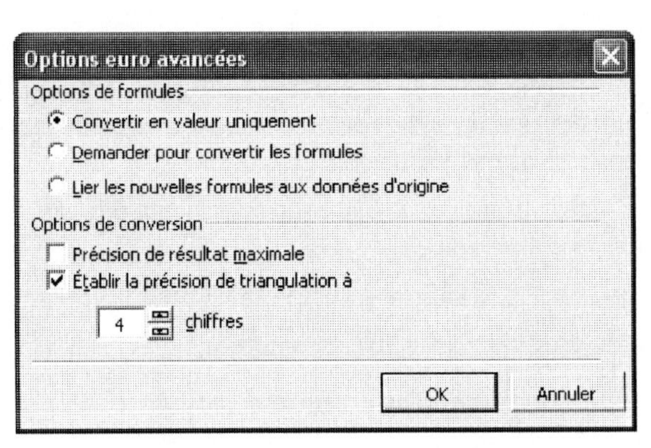

La notion de triangulation vient du passage par l'Euro pour convertir une monnaie en une autre.

Générer une table à double entrée

Pour illustrer l'utilisation d'une Table à double entrée, nous souhaitons connaître les différentes valeurs de remboursement pour un capital emprunté fixe de 15 000 €, un nombre variable de mensualités et des taux d'intérêt variables.

Saisissez les éléments initiaux du calcul à réaliser (taux d'intérêt, la durée de l'emprunt, le montant de l'emprunt, pour notre exemple).

Saisissez les en-têtes et les lignes de la table, lesquels correspondent aux paramètres variables.

Attention, la table ainsi préparée ne doit pas être accolée aux éléments initiaux et la première donnée variable en ligne doit être située une ligne plus haut et une colonne plus à droite que la première donnée variable en colonne.

À l'intersection de cette ligne et de cette colonne (A11 dans notre exemple), saisissez la formule de calcul incorporant les cellules des éléments initiaux situées en dehors de la table.

Dans l'exemple, la formule en A11 permet de calculer le montant total de chaque remboursement périodique d'un investissement à remboursement et taux d'intérêt constants.

Sélectionnez la plage de cellules comprenant la formule de calcul jusqu'à la dernière cellule de la table.

Données - Table

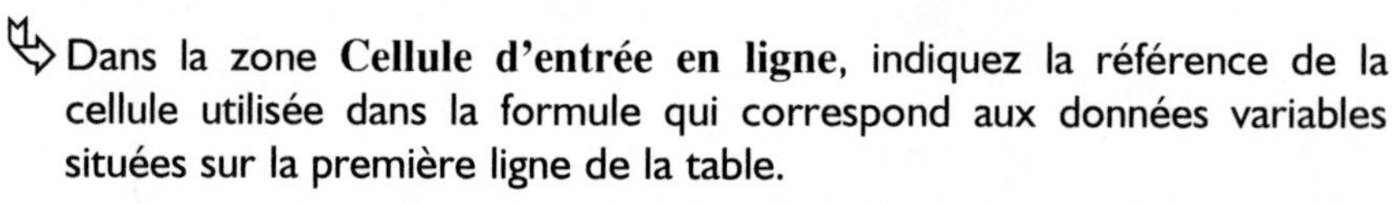

Dans la zone **Cellule d'entrée en ligne**, indiquez la référence de la cellule utilisée dans la formule qui correspond aux données variables situées sur la première ligne de la table.

Dans notre exemple, la ligne correspond à des durées, nous allons donc utiliser la cellule D5.

Indiquez selon le même principe la **Cellule d'entrée en colonne**.

Validez en cliquant sur le bouton **OK**.

Le résultat apparaît dans la feuille de calcul.

Générer une table à double entrée

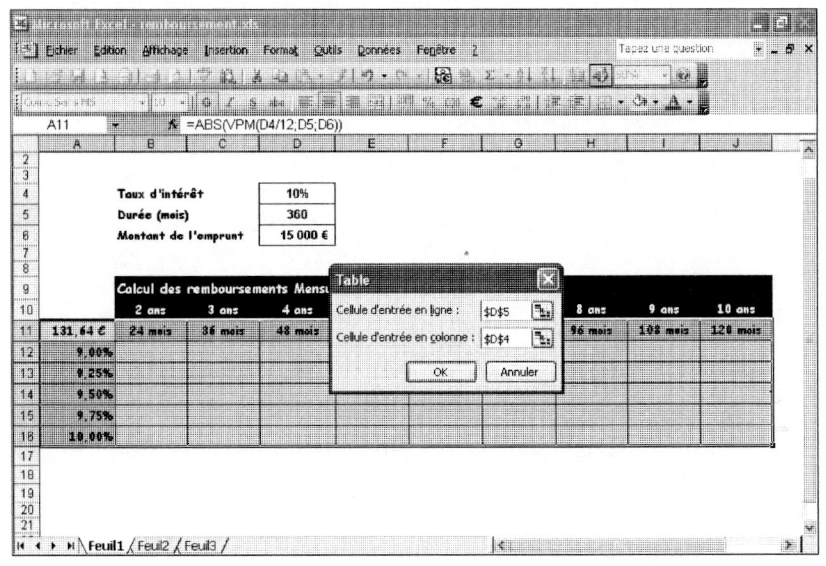

Les cellules d'entrée sélectionnées apparaissent en référence absolue.

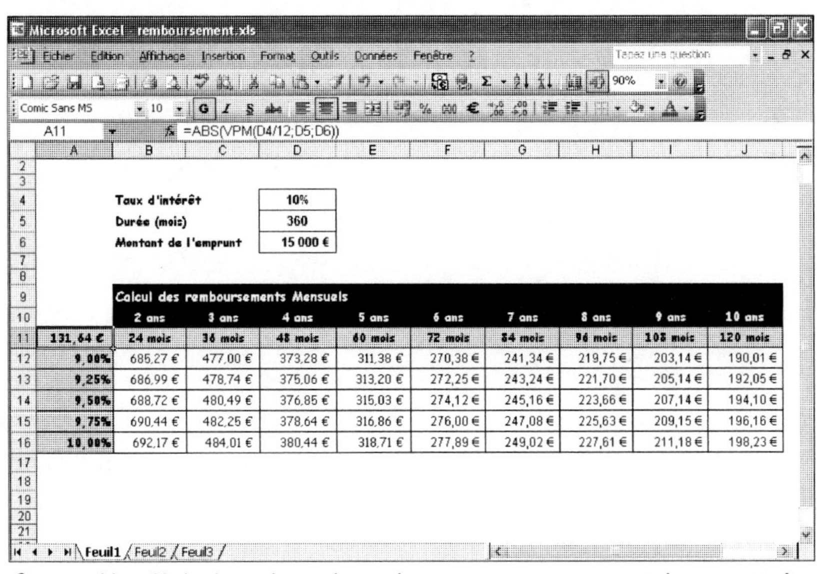

	Taux d'intérêt	10%
	Durée (mois)	360
	Montant de l'emprunt	15 000 €

	Calcul des remboursements Mensuels								
	2 ans	3 ans	4 ans	5 ans	6 ans	7 ans	8 ans	9 ans	10 ans
131,64 €	24 mois	36 mois	48 mois	60 mois	72 mois	84 mois	96 mois	108 mois	120 mois
9,00%	685,27 €	477,00 €	373,28 €	311,38 €	270,38 €	241,34 €	219,75 €	203,14 €	190,01 €
9,25%	686,99 €	478,74 €	375,06 €	313,20 €	272,25 €	243,24 €	221,70 €	205,14 €	192,05 €
9,50%	688,72 €	480,49 €	376,85 €	315,03 €	274,12 €	245,16 €	223,66 €	207,14 €	194,10 €
9,75%	690,44 €	482,25 €	378,64 €	316,86 €	276,00 €	247,08 €	225,63 €	209,15 €	196,16 €
10,00%	692,17 €	484,01 €	380,44 €	318,71 €	277,89 €	249,02 €	227,61 €	211,18 €	198,23 €

Cette table affiche les valeurs de remboursement pour un capital emprunté fixe de 15 000 €, un nombre variable de mensualités et des taux d'intérêts variables.

Effectuer des calculs lors d'une copie

Cette manipulation permet de copier des données tout en effectuant une opération (addition, soustraction...) qui combine les données copiées et les données contenues dans les cellules de destination.

Sélectionnez les données à copier.

Edition - Copier ou [icône] ou [Ctrl] **C**

Activez la première cellule de destination (les cellules réceptrices doivent contenir des données).

Edition - Collage spécial

Dans la zone **Coller**, déterminez ce qui doit être copié.

Précisez l'**Opération** à effectuer en activant l'option correspondante.

Cochez l'option **Blancs non compris** si les cellules vides présentes dans la sélection doivent être omises.

Cliquez sur le bouton **OK**.

Effectuer des calculs lors d'une copie

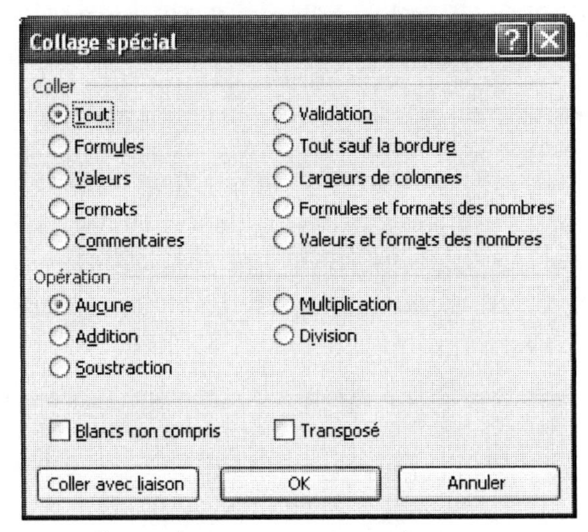

*Une seule option peut être sélectionnée dans la zone **Coller**.*

Créer des scénarios

Un scénario vous permet de résoudre un problème en considérant plusieurs hypothèses.

Outils - Gestionnaire de scénarios

Pour chaque scénario à créer, cliquez sur le bouton **Ajouter**.

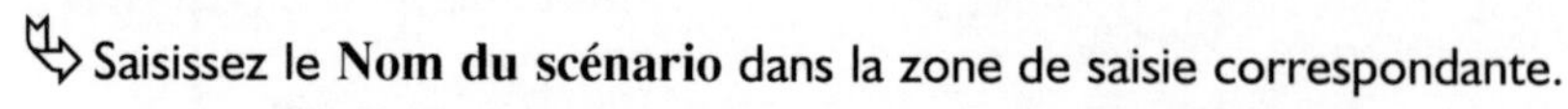

Saisissez le **Nom du scénario** dans la zone de saisie correspondante.

Effacez ce qui apparaît dans la zone **Cellules variables** et utilisez le bouton pour sélectionner sur la feuille toutes les données à faire varier ; utilisez la touche Ctrl pour sélectionner des cellules non adjacentes.

Si besoin, modifiez le texte du commentaire dans la zone **Commentaire**.

Cliquez sur le bouton **OK**.

Saisissez alors la valeur de chaque cellule variable et validez en cliquant sur **OK**.

Cliquez sur le bouton **Fermer** de la boîte de dialogue **Gestionnaire de scénarios** lorsque tous les scénarios sont créés.

Il peut être intéressant de créer un scénario en gardant le contenu d'origine dans les cellules variables afin de pouvoir l'afficher à nouveau par la suite.

Vous pouvez nommer les cellules variables afin de visualiser leur nom et non leur référence lorsque vous tapez les valeurs des cellules à modifier.

Créer des scénarios

Par défaut, la zone **Commentaire** *affiche le nom de l'utilisateur qui a créé ou modifié le scénario sélectionné et la date de sa création ou de sa dernière modification.*

Lancer l'exécution des scénarios

Outils - Gestionnaire de scénarios

Si seul un scénario doit être lancé, sélectionnez-le puis cliquez sur le bouton **Afficher**. Dans ce cas, le résultat est affiché dans la feuille de calcul (d'où l'intérêt de bâtir un scénario pour le cas actuel).
Si tous les scénarios doivent être exécutés, cliquez sur le bouton **Synthèse**. Au besoin, sélectionnez les cellules dont vous souhaitez afficher la valeur pour chaque scénario dans la feuille de synthèse.

Si vous avez cliqué sur le bouton **Synthèse**, Excel vous propose deux types de rapport. Dans ce cas, complétez la boîte de dialogue **Synthèse de scénarios** puis validez par **OK**.

Cliquez sur le bouton **OK**.

La synthèse est proposée sous forme de plan dans une nouvelle feuille de calcul.

Les scénarios peuvent être associés à des vues grâce à la technique du rapport.

Lancer l'exécution des scénarios

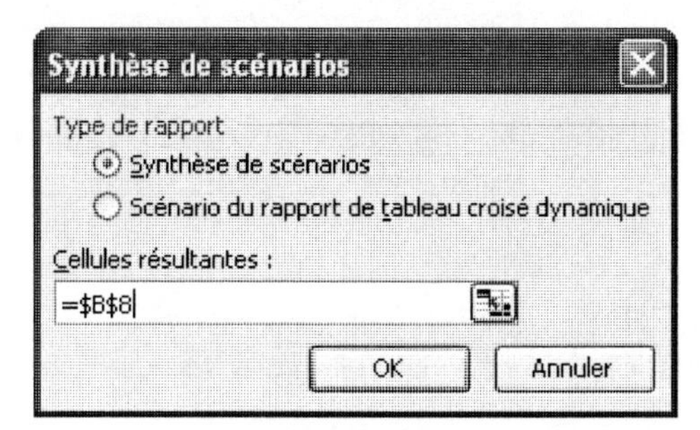

Cette boîte de dialogue ne s'affiche que dans le cas d'une synthèse de scénarios.

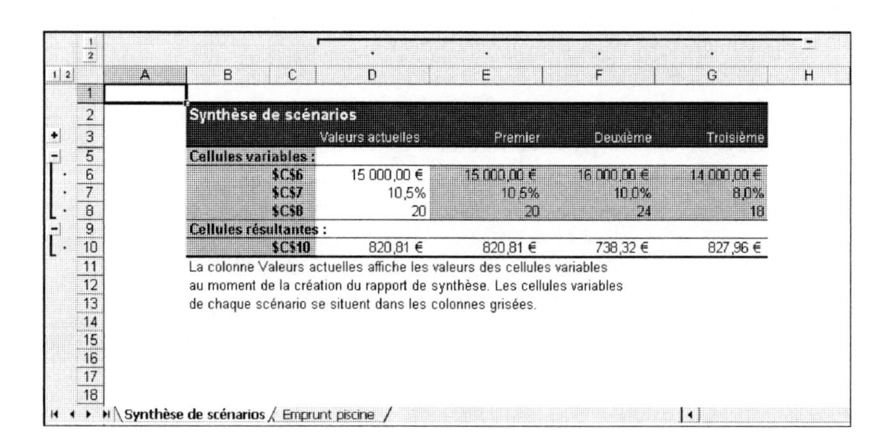

Atteindre une valeur cible

Cette technique vous permet de résoudre le problème suivant : quelle valeur doit contenir une cellule pour que tel résultat de calcul atteigne telle valeur cible.

Activez la cellule qui doit atteindre une valeur précise et vérifiez qu'elle contient bien une formule de calcul. Si possible, visualisez en même temps la cellule à modifier.

Outils - Valeur cible

Vérifiez que le champ **Cellule à définir** fait bien référence à la cellule (ou au nom de la cellule) qui contient la formule pour laquelle vous souhaitez trouver une solution.

Précisez quelle doit être la **Valeur à atteindre**.

Choisissez dans la zone **Cellule à modifier**, la référence de cellule (ou le nom de la cellule) que vous souhaitez ajuster durant la recherche de la valeur cible.

Validez en cliquant sur **OK**.

Dès qu'Excel a trouvé une solution, il s'arrête et affiche ses conclusions dans la feuille.

Si le résultat proposé vous convient, cliquez sur **OK** pour le conserver dans la feuille. Si vous souhaitez retrouver les valeurs d'origine cliquez sur **Annuler**.

Atteindre une valeur cible

En remboursant 150 € par mois, quel sera le montant du capital emprunté ?

Afficher/masquer la barre d'outils Audit de formules

*La barre d'outils **Audit de formules** contient des outils qui vont permettre de cerner les problèmes de vos feuilles de calcul.*

Outils - Audit de formules - Afficher la barre d'outils Audit de formules

*Cette commande permet d'afficher et de masquer la barre d'outils **Audit de formules**. Si une coche est visible à gauche de l'option, cela signifie que la barre est affichée.*

Vous pouvez aussi masquer la barre d'outils **Audit de formules** en cliquant sur le bouton ☒ ; ce bouton n'est visible que si la barre d'outils est présentée sous forme de fenêtre (barre d'outils flottante).

Afficher les formules à la place des résultats

Outils - Audit de formules - Mode Audit de formules ou Ctrl "

Utilisez le même menu (ou touches de raccourcis) pour afficher à nouveau les résultats de formules.

Afficher/masquer la barre d'outils Audit de formules

Microsoft Excel - audit.xls

	A	B	C	D	E	F
1						
2		NANTES	RENNES	VANNES	Total	Répartition
3	Comptable	1 752 €	1 763 €	1 768 €	5 283 €	27,00%
4	Secrétaire	1 520 €	1 532 €	1 519 €	4 571 €	#DIV/0!
5	Responsable magasin	1 685 €	1 701 €	1 693 €	5 079 €	25,96%
6	Routier	1 548 €	1 562 €	1 521 €	4 631 €	23,67%
7	TOTAL				19 564 €	#DIV/0!

Audit de formules

*Par défaut, la barre d'outils **Audit de formules** apparaît en barre flottante.*

Afficher les formules à la place des résultats

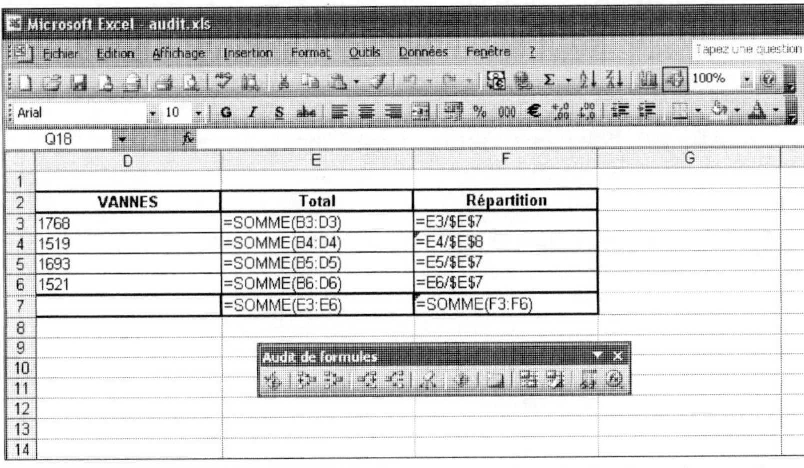

Microsoft Excel - audit.xls

	D	E	F
1			
2	VANNES	Total	Répartition
3	1768	=SOMME(B3:D3)	=E3/$E$7
4	1519	=SOMME(B4:D4)	=E4/$E$8
5	1693	=SOMME(B5:D5)	=E5/$E$7
6	1521	=SOMME(B6:D6)	=E6/$E$7
7		=SOMME(E3:E6)	=SOMME(F3:F6)

Les formules sont alors visibles dans la feuille de calcul à la place des résultats.

Analyser l'erreur dans une formule

Dans la boîte de dialogue **Options** (**Outils - Options** - onglet **Vérification des erreurs**), vérifiez que l'option **Activer la vérification des erreurs d'arrière-plan** est bien active et si besoin, modifiez la liste des erreurs qu'Excel doit repérer en activant ou désactivant les différentes **Règles**.

Activez la cellule contenant l'erreur, repérable par le triangle de couleur (vert par défaut) dans le coin supérieur gauche de la cellule.

Cliquez sur la balise située à gauche de la cellule active.

Une liste d'options apparaît, la première indiquant le type d'erreur repéré par Excel.

Cliquez sur l'option de votre choix :

Aide sur cette erreur	Affiche la fenêtre d'aide.
Afficher les étapes du calcul	Affiche la boîte de dialogue **Evaluation de formule** (cf. titre suivant).
Ignorer l'erreur	Désactive le repère d'erreur : le triangle de couleur ainsi que la balise disparaissent.
Modifier dans la barre de formule	Positionne le curseur dans la barre de formule afin que vous puissiez modifier cette formule.
Options de vérification des erreurs	Affiche la boîte de dialogue **Vérification des erreurs** permettant ainsi l'activation ou la désactivation des **Règles** d'erreur gérées par Excel.
Afficher la barre d'outils Audit de formules	Affiche la barre d'outils **Audit de formules**.

Si aucune des options ne vous intéresse, activez une autre cellule pour masquer ces options.

Analyser l'erreur dans une formule

	A	B	C	D	E	F
1						
2		NANTES	RENNES	VANNES	Total	Répartition
3	Comptable	1 752 €	1 763 €	1 768 €	5 283 €	27,00%
4	Secrétaire	1 520 €	1 532 €	1 519 €	4 5	#DIV/0!
5	Responsable magasin	1 685 €	1 701 €	1 693 €	5 0	
6	Routier	1 548 €	1 562 €	1 521 €	4 6	
7	TOTAL				19 5	

Audit de formules

Erreur lors de la division par zéro
Aide sur cette erreur
Afficher les étapes du calcul...
Ignorer l'erreur
Modifier dans la barre de formule
Options de vérification des erreurs...
Afficher la barre d'outils Audit de formules

Selon le type d'erreur, d'autres options peuvent être disponibles.

Analyser les erreurs de toutes les formules

Dans la boîte de dialogue **Options** (**Outils - Options** - onglet **Vérification des erreurs**), vérifiez et modifiez, si besoin, la liste des erreurs qu'Excel doit repérer en activant ou désactivant les différentes **Règles**.

Activez la feuille pour laquelle vous souhaitez vérifier les erreurs.

Outils - Vérification des erreurs ou cliquez sur **Vérification des erreurs** de la barre d'outils **Audit de formules**.

Excel sélectionne la première cellule contenant une erreur et affiche dans la boîte de dialogue ***Vérification des erreurs****, le détail de la formule ainsi que le détail de l'erreur.*

Vous pouvez choisir d'obtenir de l'**Aide sur cette erreur**, de **Repérer une erreur** (afficher les flèches d'audit) ou d'**Afficher les étapes du calcul**, d'**Ignorer l'erreur** ou de **Modifier dans la barre de formule** (cf. détail de ces options dans le titre précédent) en cliquant sur le bouton correspondant.

Selon votre choix, le bouton **Reprendre** peut apparaître dans la boîte de dialogue **Vérification des erreurs** afin que vous puissiez continuer la vérification des cellules suivantes.

Si vous désirez passer directement à l'erreur suivante ou précédente sans traiter l'erreur sélectionnée, cliquez sur le bouton **Précédent** ou **Suivant**.

Pour réactiver les repères d'erreur des cellules où vous avez choisi d'**Ignorer l'erreur**, cliquez sur le bouton **Rétablir les erreurs ignorées** (**Outils - Options** - onglet **Vérification des erreurs**).

Analyser les erreurs de toutes les formules

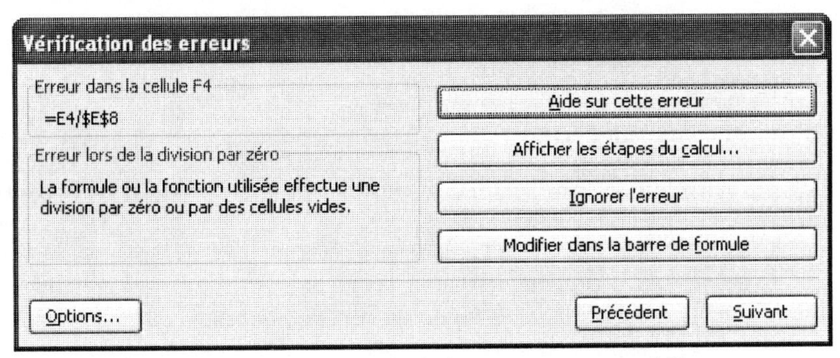

Les boutons de cette boîte de dialogue peuvent être différents selon le type d'erreur.

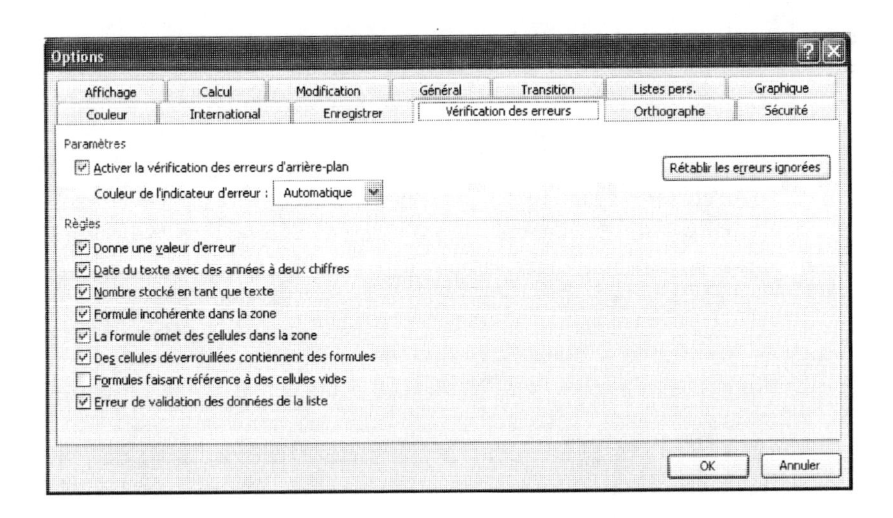

Repérer les cellules provoquant une erreur

Lorsque dans une cellule, le résultat d'une formule affiche une valeur d'erreur comme #NOM?, #N/A, #DIV0! ..., il est possible de retrouver toutes les cellules qui interviennent dans cette formule.

Activez la cellule contenant l'erreur.

Cliquez sur l'outil **Repérer une erreur** de la barre d'outils **Audit de formules**.

↳ *Des flèches d'audit apparaissent à l'écran. Les flèches rouges relient la cellule qui a produit l'erreur à celles qui y font référence, tandis que les flèches bleues désignent les antécédents de la cellule qui a entraîné l'erreur.*

Pour effacer les flèches d'audit, cliquez sur l'outil de la barre d'outils **Audit de formules**.

Évaluer des formules

Cette technique permet d'afficher le résultat des différentes parties d'une formule imbriquée.

Sélectionnez la cellule à évaluer.

Outils - Audit de formules - Évaluation de formule ou cliquez sur l'outil **Evaluation de formule** de la barre d'outils **Audit de formules**.

↳ Cliquez sur **Évaluer** pour afficher le résultat de l'expression soulignée de la zone **Évaluation**. Le résultat s'affiche alors en italique.
Cliquez à nouveau sur **Évaluer** pour afficher le résultat de la partie suivante et ainsi de suite.
Lorsque toute la formule a été évaluée, cliquez sur le bouton **Fermer** pour mettre fin à l'évaluation ou sur le bouton **Redémarrer** (qui a remplacé le bouton **Évaluer**) pour revoir l'évaluation.

Si la formule à évaluer contient une référence à une autre formule, le bouton **Pas à pas détaillé** permet d'afficher le détail de cette formule (lorsque celle-ci est soulignée) dans un nouveau cadre de la zone évaluation. Le bouton **Pas à pas sortant** permet alors de revenir à la formule initiale.

Repérer les cellules provoquant une erreur

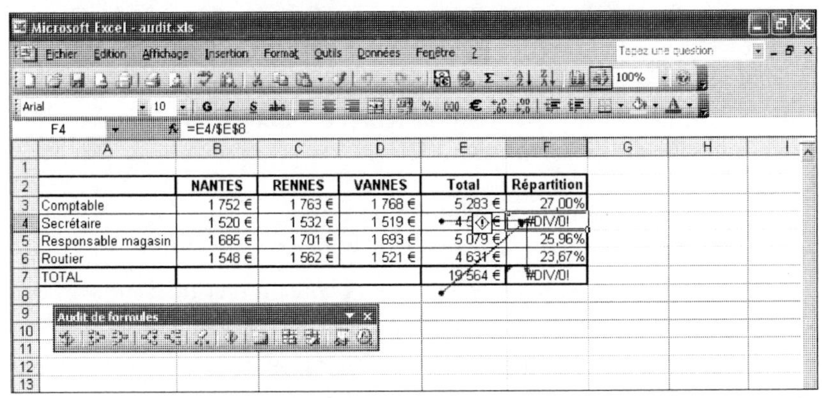
Dans cet exemple, la cellule F4 est à l'origine de l'erreur en F7 (flèche rouge), alors que E4 et E8 sont les cellules antécédentes de F4 (flèches bleues).

Évaluer des formules

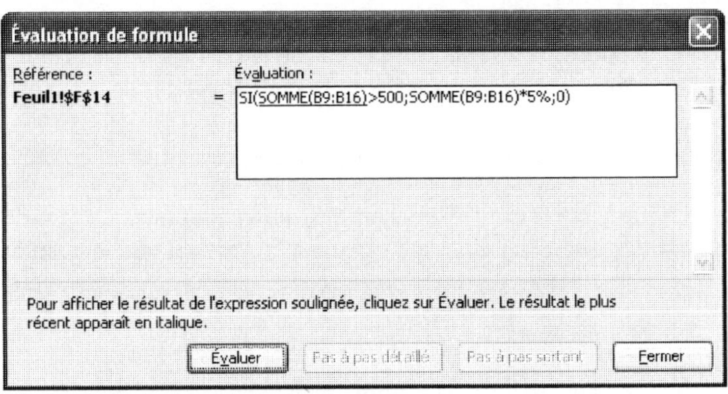

Lorsque tous les arguments de la formule ont été évalués, le bouton ***Évaluer*** devient ***Redémarrer***.

Utiliser le volet Espions

*Le volet **Espions** permet d'observer le contenu des cellules ainsi que le détail des formules simultanément.*

Sélectionnez les cellules que vous désirez observer.
Outils - Audit des formules - Afficher la fenêtre Espions ou cliquez sur l'outil  de la barre d'outils **Audit de formules**.

Cliquez sur le bouton **Ajouter un espion.**
Modifiez, si besoin, la sélection et cliquez sur **Ajouter**.

Tant que le volet reste affiché, vous pouvez à tout moment sélectionner une nouvelle cellule ou plage de cellules et l'ajouter à la liste des espions.

Pour modifier la largeur des colonnes, effectuez un cliqué-glissé au niveau de l'intersection des intitulés de colonnes.
Lorsque vous n'avez plus besoin du volet **Espions**, fermez-le en cliquant sur le bouton de ce même volet.

Effectuer le suivi des relations entre les formules et les cellules

Les flèches d'Audit vont vous permettre de visualiser les relations entre les cellules et les formules de votre feuille de calcul et ainsi identifier les erreurs.

Sélectionnez la cellule contenant la formule.

Cliquez sur l'outil **Repérer les dépendants** de la barre d'outils **Audit de formules** pour repérer les cellules contenant une formule qui fait référence à la cellule sélectionnée.
Des flèches bleues pointent sur toutes les cellules qui dépendent de la cellule active.

Cliquez sur l'outil **Repérer les antécédents** pour repérer les cellules qui fournissent les valeurs à la **Formule** de la cellule active.

Les cellules d'antécédents apparaissent encadrées et une flèche les relie à la formule de calcul.

Cliquez sur ou pour effacer les flèches de l'audit de la cellule active ou sur pour effacer toutes les flèches de l'audit de la feuille active.

Utiliser le volet Espions

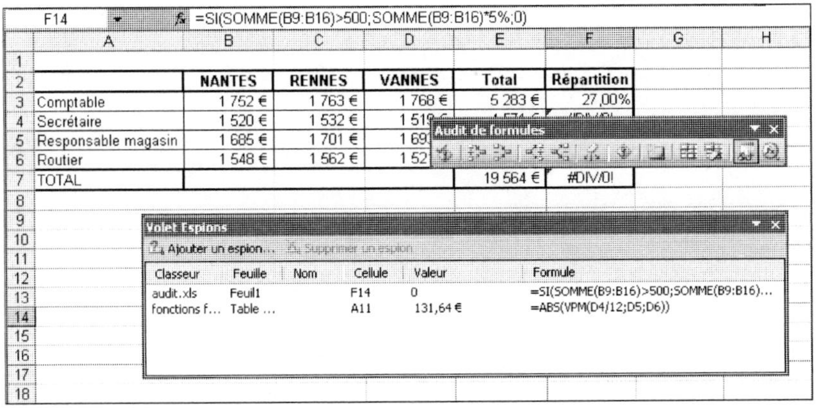

F14 =SI(SOMME(B9:B16)>500;SOMME(B9:B16)*5%;0)

	NANTES	RENNES	VANNES	Total	Répartition
Comptable	1 752 €	1 763 €	1 768 €	5 283 €	27,00%
Secrétaire	1 520 €	1 532 €	1 51[illegible]	[illegible]	[illegible]
Responsable magasin	1 685 €	1 701 €	1 69[illegible]		
Routier	1 548 €	1 562 €	1 52[illegible]		
TOTAL				19 564 €	#DIV/0!

Audit de formules

Volet Espions

Ajouter un espion... Supprimer un espion

Classeur	Feuille	Nom	Cellule	Valeur	Formule
audit.xls	Feuil1		F14	0	=SI(SOMME(B9:B16)>500;SOMME(B9:B16)...
fonctions f...	Table ...		A11	131,64 €	=ABS(VPM(D4/12;D5;D6))

*Pour atteindre rapidement une cellule correspondant à une ligne du volet **Espions**, effectuez un double clic sur cette ligne.*

Effectuer le suivi des relations entre les formules et les cellules

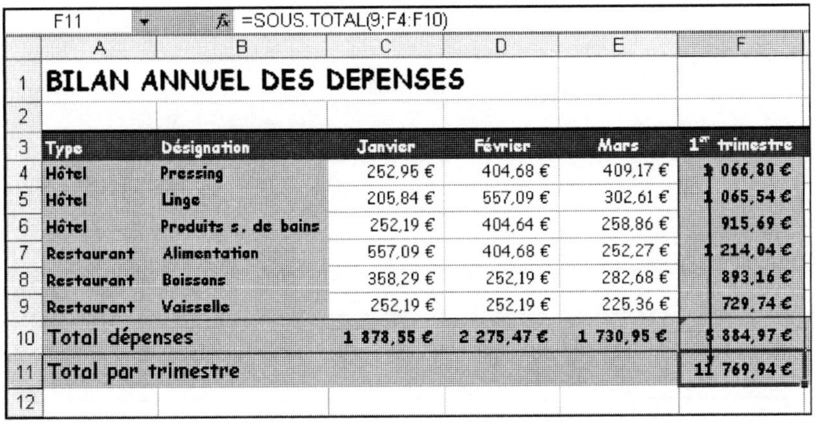

F11 =SOUS.TOTAL(9;F4:F10)

BILAN ANNUEL DES DEPENSES

Type	Désignation	Janvier	Février	Mars	1er trimestre
Hôtel	Pressing	252,95 €	404,68 €	409,17 €	1 066,80 €
Hôtel	Linge	205,84 €	557,09 €	302,61 €	1 065,54 €
Hôtel	Produits s. de bains	252,19 €	404,64 €	258,86 €	915,69 €
Restaurant	Alimentation	557,09 €	404,68 €	252,27 €	1 214,04 €
Restaurant	Boissons	358,29 €	252,19 €	282,68 €	893,16 €
Restaurant	Vaisselle	252,19 €	252,19 €	225,36 €	729,74 €
Total dépenses		1 878,55 €	2 275,47 €	1 730,95 €	5 884,97 €
Total par trimestre					11 769,94 €

Dans l'exemple ci-dessus, la flèche bleue repère les antécédents de la cellule F11.

NOTES PERSONNELLES

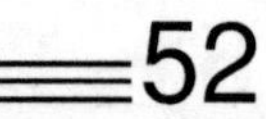

Chapitre 3

GRAPHIQUES

Créer un graphique personnalisé

Ce graphique pourra servir de modèle lors de la création d'un nouveau graphique.

Sélectionnez le graphique concerné servant de modèle.

Graphique - Type de graphique

Cliquez sur l'onglet **Types personnalisés**.

Activez l'option **Types personnalisés** du cadre **Sélectionner parmi les**.

Cliquez sur le bouton **Ajouter**.

Tapez le **Nom** et une **Description** du graphique dans les zones de saisie correspondantes.

Cliquez deux fois sur le bouton **OK**.

Utiliser un graphique personnalisé

L'utilisation d'un graphique personnalisé en tant que modèle évite de refaire toutes les manipulations de mise en forme.

Sélectionnez les données à représenter sous forme de graphique.

Insertion - Graphique ou

Cliquez sur l'onglet **Types personnalisés**.

Activez l'option **Types personnalisés** du cadre **Sélectionner parmi les**.

Choisissez le **Type de graphique** souhaité dans la liste correspondante.

Cliquez sur le bouton **Suivant** puis poursuivez la conception du graphique comme pour tout nouveau graphique.

Créer un graphique personnalisé

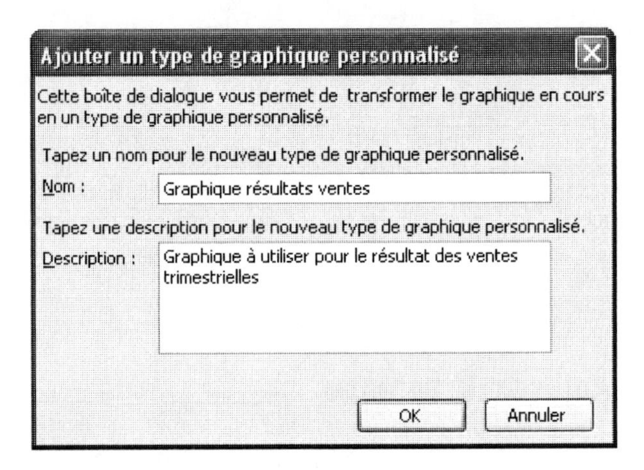

Utiliser un graphique personnalisé

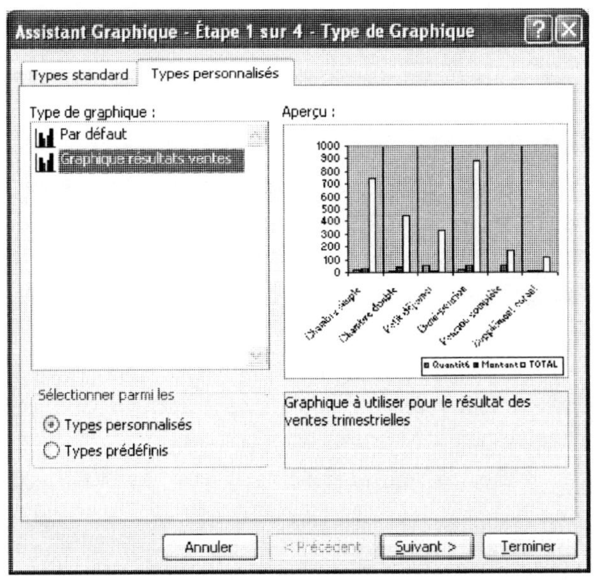

Un graphique personnalisé reste accessible dans d'autres documents Excel que celui à partir duquel vous l'avez créé.

Insérer un texte d'une feuille dans un graphique

Sélectionnez le graphique et veillez à ce qu'aucun élément de type Texte ne soit sélectionné.

Tapez =

Sélectionnez la cellule contenant le texte à insérer.

Validez par la touche [Entrée] puis déplacez à l'aide d'un cliqué-glissé la zone de texte ainsi créée.

Modifier l'échelle du graphique

Sélectionnez le graphique puis sélectionnez l'axe des ordonnées.

Format - **Axe sélectionné** ou clic sur [icône] de la barre d'outils **Graphique** ou [Ctrl][Shift] 1 du clavier alphanumérique.

Vous pouvez aussi réaliser un double clic sur l'une des valeurs de l'axe des ordonnées.

Au besoin, activez l'onglet **Échelle**.

Dans la zone **Minimum**, tapez une valeur pour spécifier la plus petite valeur de données à afficher sur l'axe sélectionné.

Dans la zone **Maximum**, tapez une valeur pour spécifier la valeur de données la plus élevée à afficher sur l'axe sélectionné.

Dans la zone **Unité principale**, tapez une valeur pour spécifier l'intervalle des marques de graduation principales sur l'axe sélectionné.

Dans la zone **Unité secondaire**, tapez une valeur pour spécifier l'intervalle des marques de graduation secondaires sur l'axe sélectionné.

Par défaut, toutes les options de la colonne ***Automatique*** *sont actives, car c'est Excel qui gère automatiquement l'échelle de l'axe des ordonnées en fonction des données saisies dans le tableau.*

Pour rendre les valeurs de l'axe plus lisibles (moins longues), vous pouvez modifier leurs **Unités d'affichage** ; activez l'option **Afficher les unités sur le graphique** pour faire apparaître une étiquette précisant l'unité utilisée.

Cliquez sur le bouton **OK** pour valider vos choix.

Insérer un texte d'une feuille dans un graphique

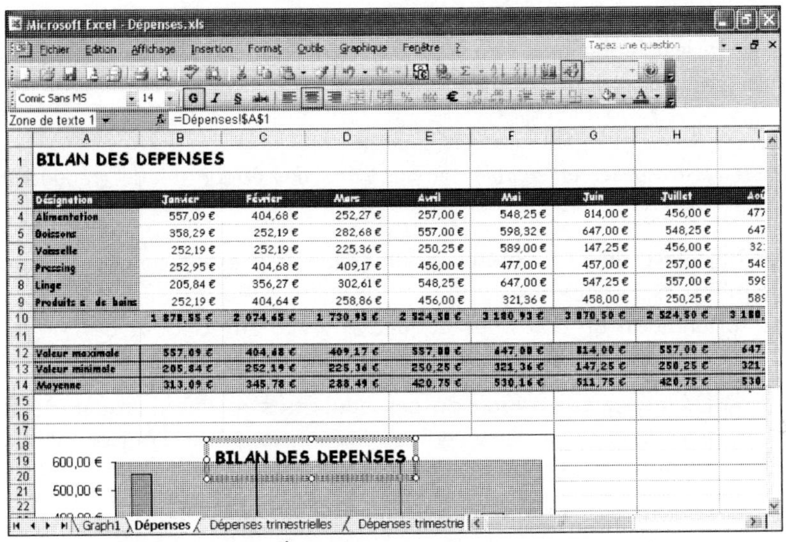

Le texte ***BILAN DES DÉPENSES*** *sera mis à jour à chaque changement du contenu de la cellule A1 de la feuille de calcul.*

Modifier l'échelle du graphique

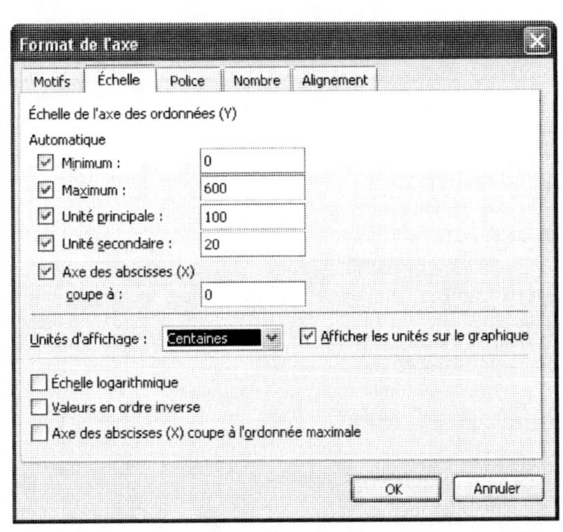

Le fait de saisir une valeur dans une zone de saisie désactive l'option correspondante dans la colonne ***Automatique****.*

Modifier l'affichage des étiquettes et des marques de graduation

Sélectionnez le graphique puis sélectionnez l'axe pour lequel les étiquettes et/ou les marques de graduation doivent être modifiées.

Format - Axe sélectionné ou [bouton] ou Ctrl Shift 1

Vous pouvez aussi réaliser un double clic sur l'une des étiquettes de graduation de l'axe concerné.

Utilisez les onglets **Police** et **Nombre** pour définir la présentation du texte ou le format des nombres des étiquettes.
Définissez l'orientation du texte des étiquettes grâce aux options de l'onglet **Alignement**.

Définissez la position de ces étiquettes et des marques de graduation par rapport à l'axe grâce aux options de l'onglet **Motifs** (cadre **Étiquettes de graduation**).

Cliquez sur le bouton **OK** pour valider vos choix.

Les boutons [bouton] et [bouton] de la barre d'outils **Graphique** permettent de modifier l'orientation du texte des étiquettes.

Modifier le contenu des étiquettes des abscisses

Sélectionnez le graphique.

Graphique - Données source

Cliquez sur l'onglet **Série**.

Dans la zone **Étiquettes de l'axe des abscisses (X)**, cliquez sur [bouton], sélectionnez les cellules contenant le texte des étiquettes puis appuyez sur Entrée pour revenir à la boîte de dialogue **Données source**.

Cliquez sur le bouton **OK** pour valider.

Vous pouvez aussi sélectionner la première série du graphique puis modifier le deuxième argument de la fonction SERIE() visible dans la barre de formule.

Modifier l'affichage des étiquettes et des marques de graduation

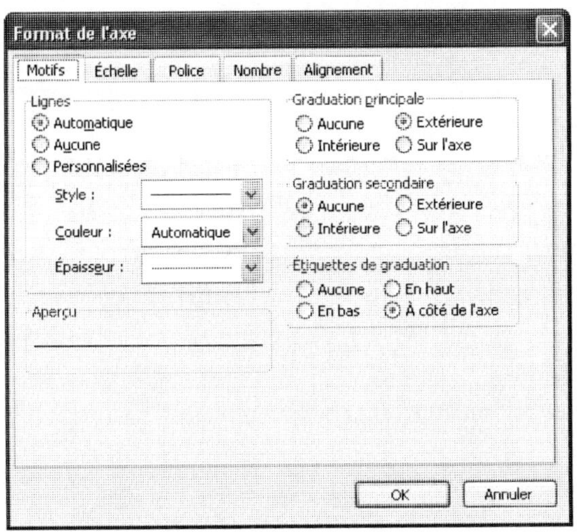

Par défaut, les étiquettes de graduation sont positionnées **À côté de l'axe**.

Modifier le contenu des étiquettes des abscisses

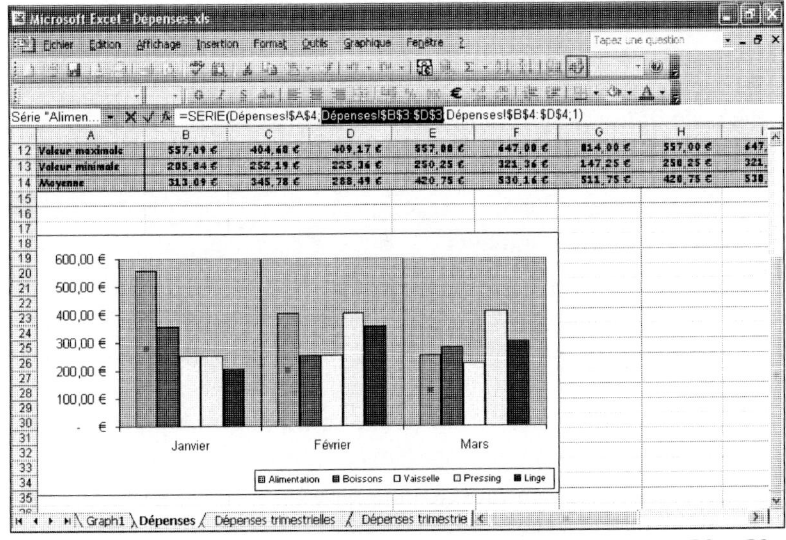

Les étiquettes de l'axe des abscisses se trouvent dans les cellules B3 à D3.

Intervenir sur la superposition des barres

Sélectionnez le graphique puis sélectionnez une des séries du graphique.

Format - Série de données sélectionnée ou [icône] ou Ctrl Shift 1

Vous pouvez aussi réaliser un double clic sur une série du graphique.

Cliquez sur l'onglet **Options**.

Dans la zone **Superposition**, entrez une valeur comprise entre -100 et 100 pour spécifier l'importance de la superposition des barres.

Dans la zone **Largeur de l'intervalle**, tapez une valeur comprise entre 0 et 500 pour réduire ou augmenter l'espace entre les groupes de barres.

Cliquez sur le bouton **OK** pour valider.

Relier les points d'un graphique

Cette fonction est réservée au graphique en Courbes.

Sélectionnez le graphique puis sélectionnez une série.

Format - Série de données sélectionnée ou [icône] ou Ctrl Shift 1

Cliquez sur l'onglet **Options**.

Activez une ou plusieurs des options suivantes :

Lignes de projection les lignes partent de l'ordonnée la plus haute et se terminent sur l'axe des abscisses.

Lignes haut/bas les lignes relient l'ordonnée la plus haute à l'ordonnée la plus basse et ce pour chaque abscisse.

Barres haut/bas les points sont reliés non par des lignes mais par des barres.

Cliquez sur le bouton **OK** pour valider.

Intervenir sur la superposition des barres

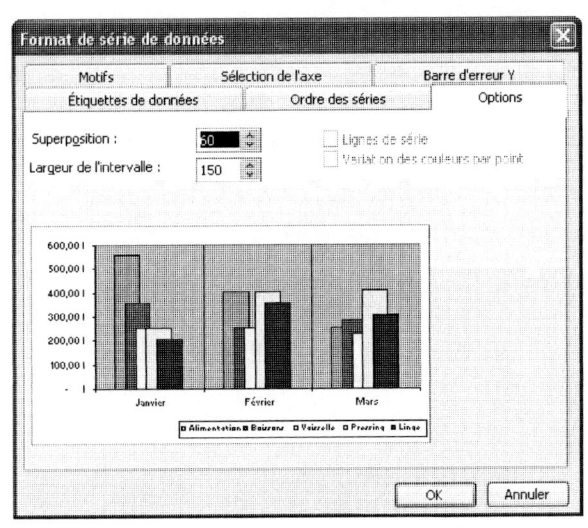

*Plus la valeur de **Superposition** est élevée, plus les barres sont superposées.*

Relier les points d'un graphique

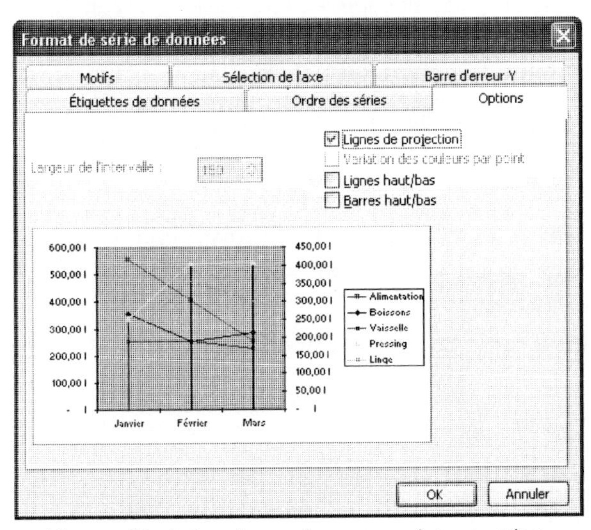

*L'option **Variation des couleurs par point** est utilisée pour les graphiques comportant une seule série de données.*

Manipuler les graphiques sectoriels

Sélectionnez le graphique.

Pour éclater une part, sélectionnez la part à éclater en cliquant deux fois dessus (pas de double clic). Déplacez cette part en réalisant un cliqué-glissé.

Pour opérer une rotation, sélectionnez la série puis exécutez la commande **Format - Série de données sélectionnée** ou [icône] ou Ctrl Shift 1.

Un graphique sectoriel est composé d'une seule série.

Au besoin, activez l'onglet **Options**.

Dans la zone **Angle du premier secteur**, saisissez les **degrés** de rotation du graphique puis cliquez sur **OK** pour valider.

Modifier la profondeur d'un graphique 3D

Sélectionnez le graphique puis sélectionnez une série du graphique.

Format - Série de données sélectionnée ou [icône] ou Ctrl Shift 1

Vous pouvez aussi réaliser un double clic sur une série.

Cliquez sur l'onglet **Options**.

Activez la zone **Profondeur du graphique** et saisissez une valeur pour spécifier la profondeur (en pourcentage) du graphique par rapport à sa largeur.

Cliquez sur le bouton **OK** pour valider.

Manipuler les graphiques sectoriels

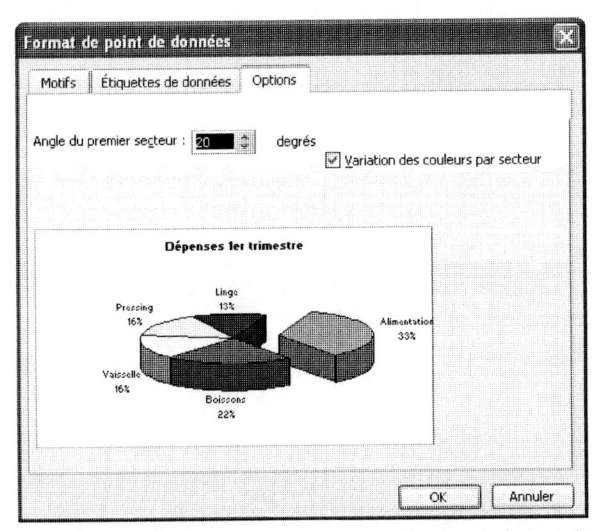

La base de ce calcul est toujours la première part du graphique et, nous vous le rappelons, un cercle fait 360 degrés.

Modifier la profondeur d'un graphique 3D

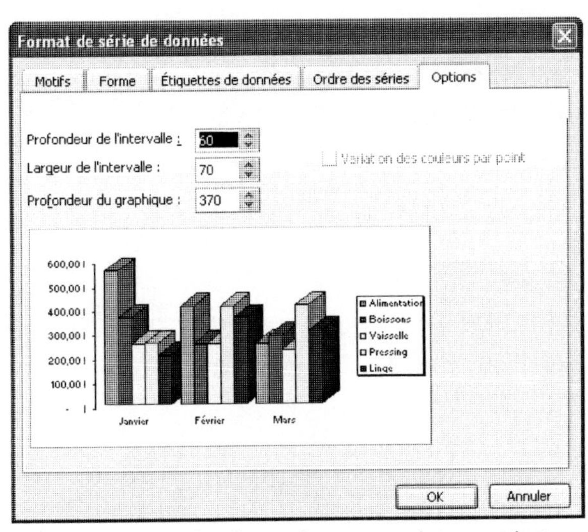

L'option ***Variation des couleurs par point*** *est utilisée pour les graphiques comportant une seule série.*

Ajuster l'affichage des données (graphique 3D)

Sélectionnez le graphique.

Graphique - Vue 3D

Dans la zone **Altitude**, saisissez une valeur pour indiquer à quelle hauteur vous souhaitez visualiser le graphique.

Dans la zone **Rotation**, tapez une valeur pour déterminer la rotation de la zone de traçage autour de l'axe vertical.

Dans la zone **Perspective**, tapez une valeur pour déterminer l'affichage de la profondeur du graphique.

Activez l'option **Axes à angle droit** si les axes doivent être à angle droit.

Pour rétablir les valeurs proposées par Excel, cliquez sur le bouton **Par défaut**.

Cliquez sur **OK** pour valider vos modifications ou sur **Fermer** pour les annuler.

Annuler les liens graphique/feuille de calcul

Sélectionnez la série concernée.

Sélectionnez tout ce qui apparaît dans la barre de formule.

Appuyez sur la touche F9.

Validez par la touche Entrée.

Procédez ainsi pour chaque série de données concernée.

Les arguments de la fonction SERIE() ne font plus référence aux cellules de la feuille de calcul.

Ajuster l'affichage des données (graphique 3D)

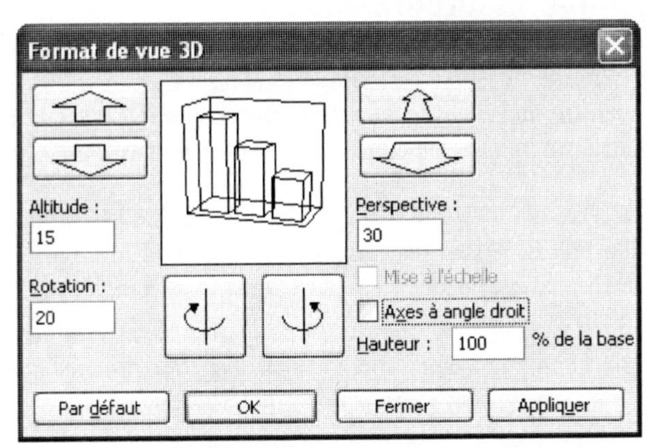

Pour définir l'altitude, la rotation et la perspective d'un graphique, vous pouvez aussi cliquer sur les flèches correspondantes.

Annuler les liens graphique/feuille de calcul

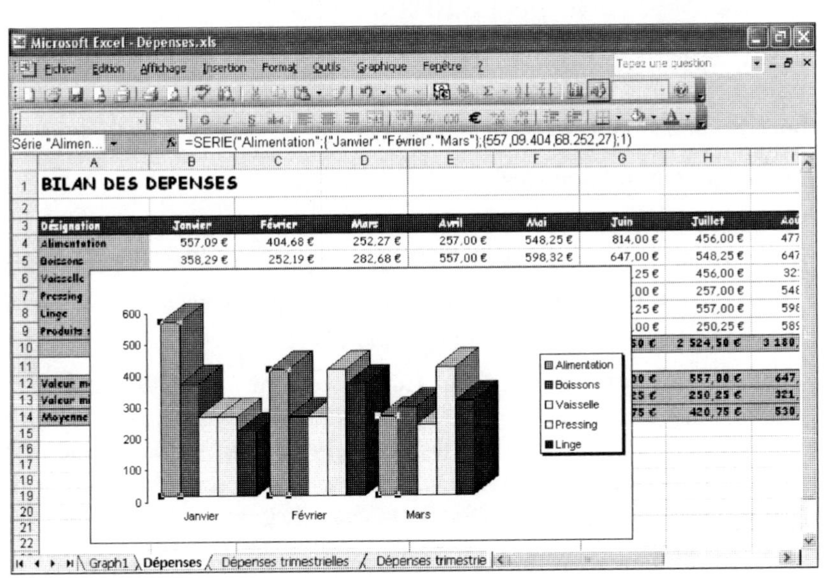

Dans la formule, les références des cellules ont été remplacées par les données contenues dans les cellules.

Ajouter une catégorie de données dans un graphique incorporé

Sélectionnez la zone graphique.

*Le nom **Zone de graphique** apparaît dans la barre de formule et, sur la feuille de calcul, les cellules contenant les données des catégories sont entourées d'un rectangle violet.*

Pour ajouter une nouvelle catégorie et les points de données correspondants, faites glisser la poignée de recopie du rectangle violet sur la nouvelle catégorie pour l'inclure dans le rectangle.

La catégorie apparaît aussitôt dans le graphique. Cette méthode est la plus simple et la plus rapide mais elle ne peut fonctionner que dans le cadre de graphiques incorporés situés non loin des données source.

Si la catégorie à ajouter n'est pas adjacente aux catégories existantes, sélectionnez les cellules correspondantes puis faites-les glisser dans le graphique.

Ajouter une catégorie de données dans un graphique incorporé

Sélectionnez la zone graphique.

Graphique - Ajouter des données

Cliquez sur le bouton pour indiquer les références des données à ajouter dans la zone **Plage** puis cliquez sur le bouton pour réafficher la boîte de dialogue.

Validez en cliquant sur **OK**.

Si la boîte de dialogue **Collage spécial** apparaît, activez l'option **Nouveau(x) point(s)**. Indiquez si les séries sont en ligne ou en colonne à l'aide des options du cadre **Valeurs (Y) en**. Activez l'option **Abscisses (étiquettes X) dans la première ligne** (ou **colonne**) si la plage sélectionnée contient l'étiquette des abscisses.

Cliquez sur le bouton **OK** pour valider.

Ajouter une catégorie de données dans un graphique incorporé

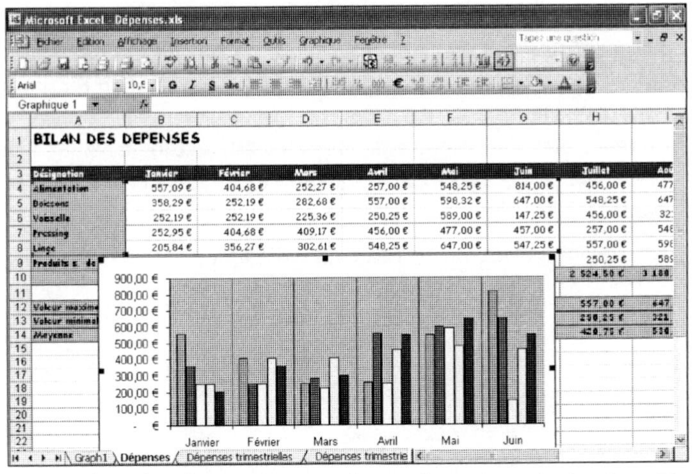

Le rectangle violet n'apparaît pas si le graphique incorporé est positionné dans une autre feuille que celle contenant les données.

Ajouter une catégorie de données dans un graphique incorporé

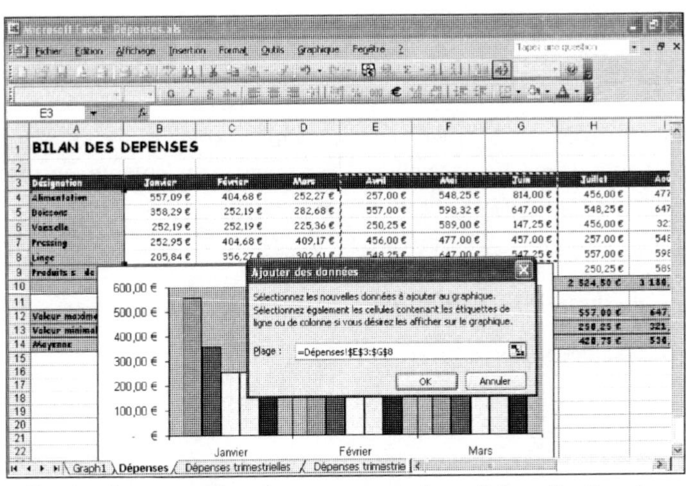

Une bordure pointillée clignote autour des cellules sélectionnées.

Supprimer une catégorie de données d'un graphique incorporé

Sélectionnez la zone graphique.

*Le nom **Zone de graphique** apparaît dans la barre de formule et sur la feuille de calcul, les cellules contenant les données des catégories sont entourées d'un rectangle violet.*

Faites glisser la poignée de recopie du rectangle violet pour exclure du rectangle la catégorie à supprimer et les points de données correspondants.

La catégorie disparaît aussitôt du graphique.

Ajouter un axe secondaire

Si les valeurs de plusieurs séries varient énormément ou si les séries représentent différents types de données (par exemple des ventes et des répartitions en pourcentage), vous pouvez représenter une ou plusieurs séries sur un axe secondaire.

Sélectionnez la série concernée.

Format - Série de données sélectionnée - onglet **Sélection de l'axe**

Activez l'option **Axe secondaire**.

Validez.

Supprimer une catégorie de données d'un graphique incorporé

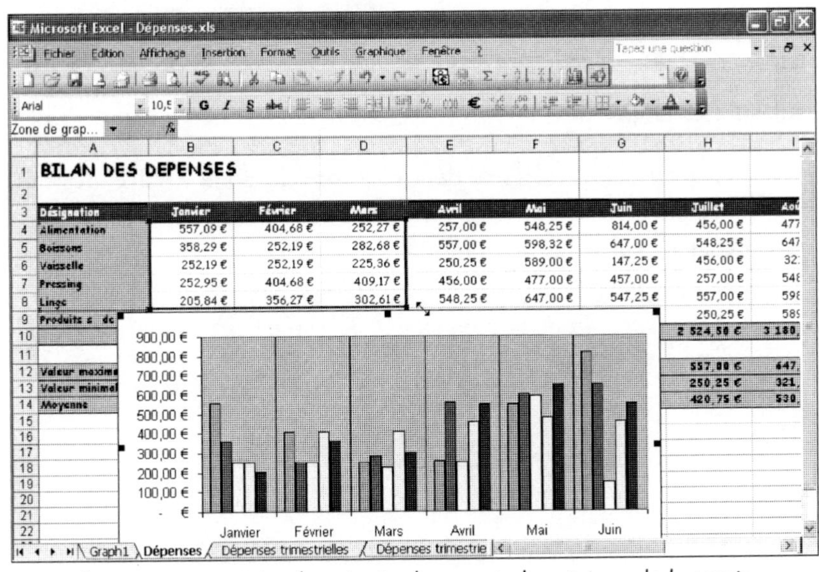

Lorsque vous pointez la poignée de recopie, le pointeur de la souris prend la forme d'une double flèche.

Ajouter un axe secondaire

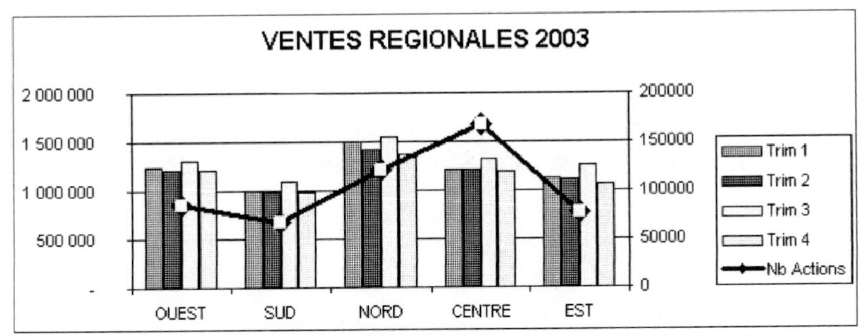

Dans l'exemple, la série "Nb Actions" est associée à l'axe secondaire sur le côté droit du graphique.

Modifier l'ordre des séries

Sélectionnez une des séries du graphique.

Format - Série de données sélectionnée ou [icône] ou Ctrl Shift 1

Vous pouvez aussi réaliser un double clic sur la série concernée.

Cliquez sur l'onglet **Ordre des séries.**

Cliquez sur la série à déplacer dans la zone **Ordre des séries** puis cliquez sur le bouton **Monter** ou **Descendre.**

Cliquez sur le bouton **OK.**

Lorsque la série est sélectionnée, la fonction SERIE apparaît dans la barre de formule : le dernier argument de cette fonction correspond au numéro d'ordre de la série.

Modifier le type de graphique d'une série de données

Sélectionnez la série concernée.

Graphique - Type de graphique

Activez, si besoin est, l'onglet **Types standard.**

Sélectionnez le type de graphique à appliquer à la série dans la zone **Type de graphique** ainsi que le sous-type dans la zone **Sous-type de graphique.**

Vérifiez que l'option **Appliquer à la sélection** est bien cochée.

Validez en cliquant sur **OK.**

Si besoin, modifiez la présentation de cette série en utilisant la commande **Format - Série de donnée sélectionnée** après avoir vérifié que la série était bien sélectionnée.

Modifier l'ordre des séries

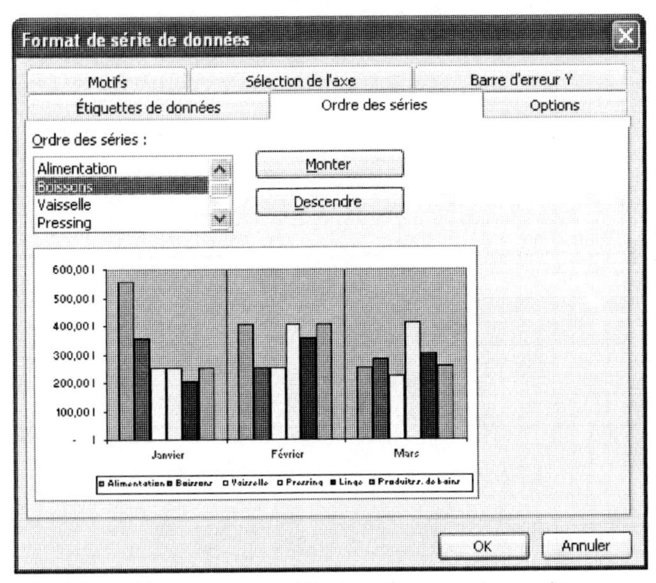

La modification est visible dans l'aperçu du graphique.

Modifier le type de graphique d'une série de données

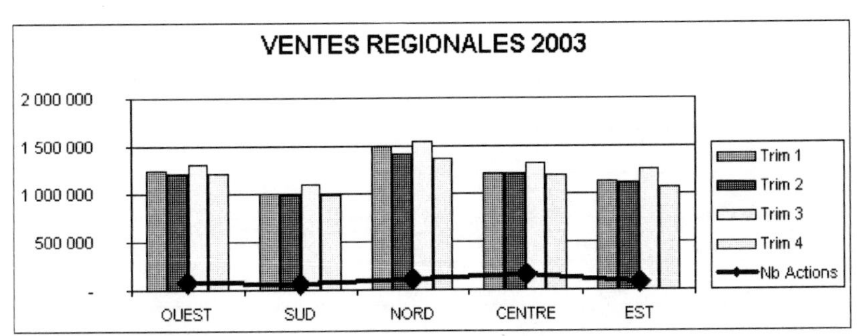

Dans l'exemple, le type de graphique Courbe a été appliqué à la série "Nb Actions".

NOTES PERSONNELLES

Chapitre 4

LISTE DE DONNÉES

Créer une liste avancée

Une liste avancée est un ensemble de données connexes dans une feuille de calcul Excel. Des fonctionnalités Excel ont été conçues pour faciliter la gestion et l'analyse des listes de données.
Vous pouvez définir plusieurs plages comme listes avancées sur une même feuille de calcul.

Ouvrez le classeur (non partagé) contenant les données à mettre en liste avancée.

Sélectionnez la plage de données que vous souhaitez convertir en liste avancée.

Données - Liste - Créer une liste ou Ctrl Shift **L**

Pour modifier, si nécessaire, la référence de la plage de cellules sélectionnées, cliquez sur le bouton, effectuez une nouvelle sélection puis cliquez sur le bouton pour afficher de nouveau l'intégralité de la boîte de dialogue **Créer une liste**.
Cochez l'option **Ma liste comporte des en-têtes** si les données sélectionnées ont des en-têtes.
Cliquez sur le bouton **OK**.

La plage de cellules convertie en liste avancée contient désormais :
- *Une bordure (bleue lorsque la liste n'est pas active).*
- *Des listes déroulantes de filtres automatiques pour chaque colonne.*
- *La ligne d'insertion est ajoutée en dessous de la dernière ligne de la liste (ligne 14 dans notre exemple) et contient un astérisque.*

Pour afficher ou masquer une ligne de totaux, cliquez sur le bouton Afficher/Masquer la ligne Total de la barre d'outils **Liste**.

La ligne de totaux s'affiche après la ligne d'insertion.

Pour désactiver une liste, cliquez sur une cellule, une ligne ou une colonne en dehors de la liste.

Pour convertir une liste avancée en plage de cellules, ouvrez la liste déroulante associée à l'outil **Liste** de la barre d'outils **Liste** puis cliquez sur l'option **Convertir en plage**. Confirmez la conversion par le bouton **Oui**.

Créer une liste avancée

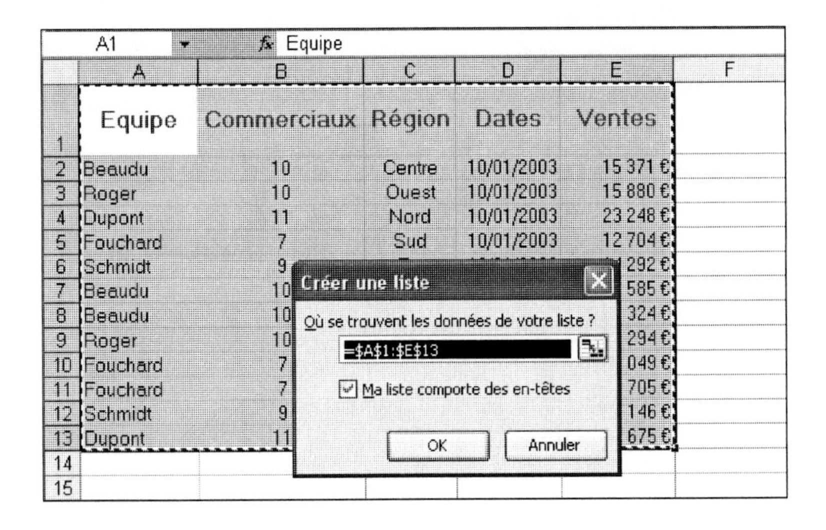

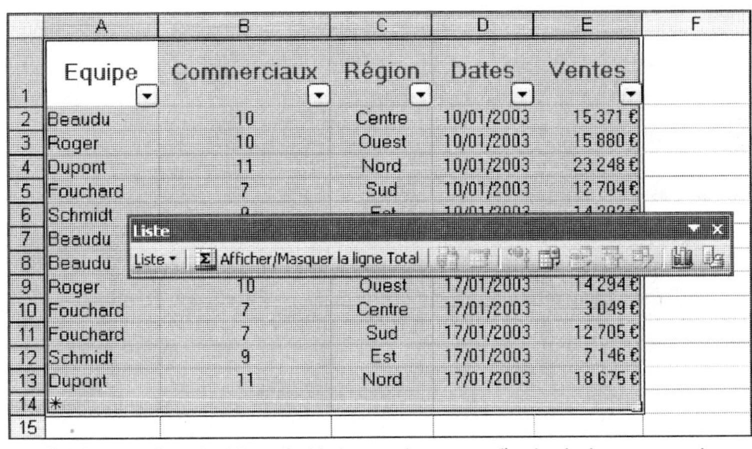

*La barre d'outils **Liste** s'affiche également à l'aide de la commande*
***Affichage - Barres d'outils - Liste**.*

Utiliser le formulaire de saisie dans une liste ou une plage de cellules

Ce formulaire permet la saisie des fiches mais aussi la recherche d'une fiche particulière.

Activez la liste avancée ou cliquez dans une plage de cellules.

Données - Formulaire

Ce formulaire est constitué des éléments suivants :

(A) Noms des champs

(B) Zones de saisie des contenus des champs

(C) Zone d'affichage du contenu des champs calculés

(D) Boutons de commande

(E) Numéro de la fiche visualisée

(F) Nombre total de fiches

(G) Barre de titre

(H) Barre de défilement vertical.

Pour ajouter des fiches, cliquez sur le bouton **Nouvelle**.

Renseignez chaque nouvelle fiche de la façon suivante :

- appuyez sur la touche [Tab] après chaque donnée sauf après la dernière (ou [Shift] [Tab] si vous souhaitez revenir en arrière).
- pour valider les données saisies, appuyez sur la touche [Entrée] après la dernière donnée, vous accédez ainsi immédiatement à une nouvelle fiche.

Cliquez sur **Fermer** pour quitter le formulaire.

Se déplacer dans le formulaire

Activez la liste avancée ou cliquez dans une plage de cellules.

Données - Formulaire

Pour changer de fiche, utilisez les touches de déplacement ou les boutons du formulaire :

[↑] ou [Précédente]	fiche précédente	[Pg Dn]	10 fiches plus bas
[↓] ou [Suivante]	fiche suivante	[Ctrl] [Pg Up]	première fiche
[Pg Up]	10 fiches plus haut	[Ctrl] [Pg Dn]	dernière fiche

Vous pouvez aussi utiliser la barre de défilement du formulaire.

La dernière fiche est toujours une éventuelle nouvelle fiche.

Utiliser le formulaire de saisie dans une liste ou une plage de cellules

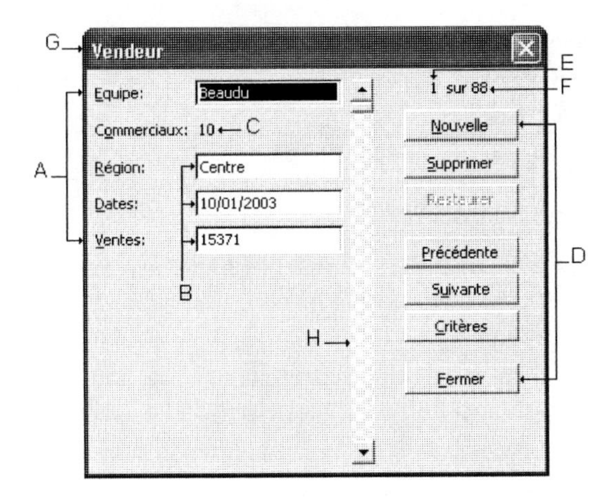

Se déplacer dans le formulaire

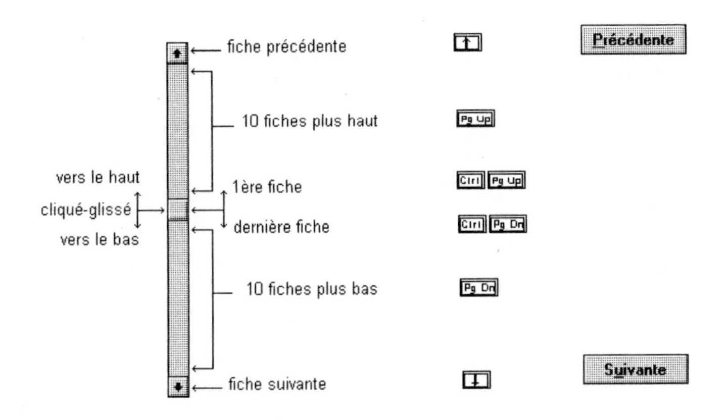

Recherchér une fiche à l'aide du formulaire

Pour atteindre une fiche précise, accédez soit à la première fiche, soit à la dernière.

Cliquez sur le bouton **Critères**.

*L'indicateur de position devient **Critères**, les champs calculés deviennent des zones de saisie et le bouton **Critères** devient **Grille**.*

Posez les conditions de recherche comme pour remplir une fiche mais ne validez pas par [Entrée].

Les conditions peuvent être des valeurs constantes (ex : Dupont) mais aussi des critères de comparaison fonctionnant avec un opérateur (ex : >100 000).

Si vous êtes parti de la première fiche, lancez la recherche par le bouton **Suivante**. Si vous êtes parti de la dernière, lancez la recherche par le bouton **Précédente**.

Poursuivez la recherche à l'aide des boutons **Suivante** ou **Précédente**.

Les fiches répondant aux conditions posées s'affichent les unes après les autres.

Cliquez sur le bouton **Grille** lorsque vous avez terminé de visualiser votre recherche.

Le formulaire vous permet à nouveau d'accéder à la totalité des fiches.

Cliquez sur **Fermer** pour quitter le formulaire.

Rechercher une fiche à l'aide du formulaire

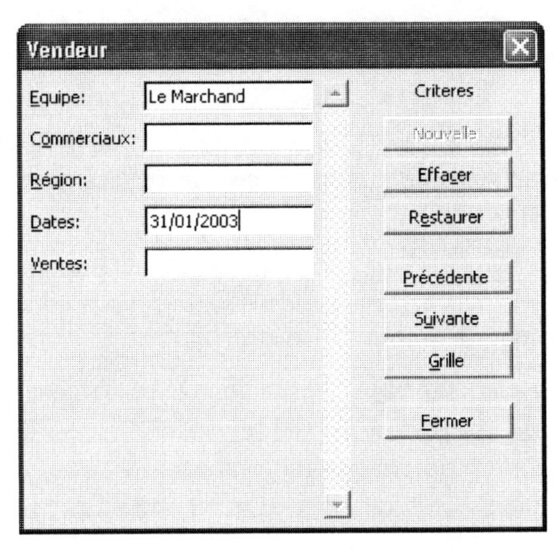

*Les critères posés vont permettre d'atteindre les fiches dont le nom d'Equipe est **Le Marchand** et qui sont datées du **31/01/2003**.*

Rechercher une valeur avec la fonction RECHERCHEV

Créez un tableau permettant de regrouper les données que vous allez devoir récupérer par la suite lors de la recherche.

Recherche verticale

Cette fonction permet de chercher une valeur dans la première colonne d'un tableau (V = Verticale) et renvoie la valeur contenue dans la cellule située sur la même ligne et dans la colonne spécifiée.

Triez le tableau par ordre croissant, sur les données de la première colonne du tableau (**Données - Trier**). Nommez cette plage de cellules si vous ne souhaitez pas la sélectionner lors de la création de la formule de calcul.

Cliquez dans la cellule où doit être affichée la donnée recherchée du tableau.

Créez votre formule de calcul en respectant la syntaxe suivante :
=RECHERCHEV(valeur_cherchée;table_matrice;no_index_col;valeur_proche)

valeur_cherchée : valeur que la fonction cherche dans la première colonne du tableau.

table_matrice : tableau à partir duquel les données vont être récupérées. Cet argument peut être les références d'une plage de cellules ou le nom d'une plage de cellules.

no_index_col : numéro de la colonne du tableau (Table_matrice) qui contient la valeur recherchée. La première colonne du tableau est la colonne 1.

valeur_proche : valeur logique qui permet d'effectuer une recherche exacte ou voisine de celle recherchée. Si la valeur_proche est VRAI ou omise, une donnée égale ou immédiatement inférieure à la valeur cherchée est affichée. Si la valeur_proche est FAUX, seule la valeur recherchée s'affiche.

Validez la formule par la touche [Entrée].

Rechercher une valeur avec la fonction RECHERCHEV

D8 | =RECHERCHEV(A8;LIVRES;2;FAUX)

	A	B	C	D	E
1					
2					
3	**Code livre**	**Titre**	**Quantité**	**Prix de vente**	**Total**
4	AD06	Prophéties du millénaire	1	96	96
5	BD03	Lucky Luke : les Daltons courent toujours	2	39	78
6	CU02	Les fêtes autour d'un plat	1	128	128
7	EV04	Destination de rêve	1	130	130
8	HI03	La dernière colline	1	96	96
9					
10					
11			MONTANT TOTAL		528

*Sur cet exemple, la fonction RechercheV cherche la référence exacte du livre (contenue en cellule **A8**) dans un tableau intitulé **LIVRES** (non visible sur cet écran) et y trouve le prix de l'article situé dans la deuxième colonne.*

Rechercher une valeur avec la fonction RECHERCHEH

Créez un tableau permettant de regrouper les données que vous allez devoir récupérer par la suite lors de la recherche.

Recherche horizontale

Cette fonction permet de chercher une valeur dans la première ligne d'un tableau (H = Horizontale) et renvoie la valeur contenue dans la cellule située dans la même colonne et dans la ligne spécifiée.

Triez, si nécessaire, le tableau par ordre croissant, sur les données de la première ligne. Pour cela, sélectionnez le tableau, activez la commande **Données - Trier** puis cliquez sur le bouton **Options**. Activez l'option **De la gauche vers la droite** puis validez. Vérifiez qu'Excel va trier par rapport à la première **ligne** du tableau en ordre **Croissant** puis cliquez sur **OK**.
Nommez cette plage de cellules si vous ne souhaitez pas la sélectionner lors de la création de la formule de calcul.
Cliquez dans la cellule où doit être affichée la donnée recherchée du tableau.
Créez votre formule de calcul en respectant la syntaxe suivante :
=RECHERCHEH(valeur_cherchée;tableau;no_index_lig;valeur_proche)
valeur_cherchée : valeur que la fonction cherche dans la première ligne du tableau.

Tableau : tableau à partir duquel les données vont être récupérées. Cet argument peut être les références d'une plage de cellules ou le nom d'une plage de cellules.

no_index_lig : numéro de la ligne du tableau qui contient la valeur recherchée. La première ligne du tableau est la ligne 1.

valeur_proche : valeur logique qui permet d'effectuer une recherche exacte ou voisine de celle recherchée. Si la valeur proche est VRAI ou omise, une donnée égale ou immédiatement inférieure à la valeur cherchée est affichée. Si la valeur_proche est FAUX, seule la valeur recherchée s'affiche.

Validez la formule par la touche [Entrée].

Dans notre exemple de droite, nous recherchons le volume correspondant à la 4e valeur de la longueur. La fonction balaye horizontalement la 1ère ligne du tableau (ligne 2). Dès que la valeur "Volume" est trouvée, elle renvoie la valeur de la 5e colonne (4 + titre).

L'argument FAUX permet d'avoir un tableau de valeurs non croissantes. L'argument VRAI nous aurait contraint à avoir un tableau trié par valeurs croissantes dans la 1ère colonne.

Rechercher une valeur avec la fonction RECHERCHEH

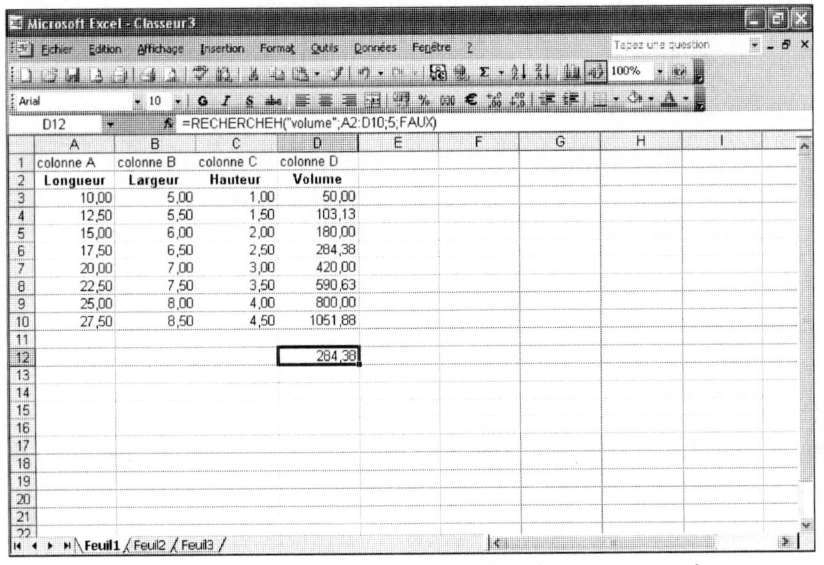

*Dans cet exemple, la fonction a trouvé le **volume** correspondant à la 4e valeur de la **longueur**.*

Modifier/supprimer une fiche à l'aide du formulaire

Activez la liste avancée ou cliquez dans une plage de cellules.

Données - Formulaire

Pour modifier une fiche, atteignez la fiche à modifier.

Réalisez vos corrections dans les zones de saisie puis validez par la touche [Entrée].

*Si vos modifications sont erronées, cliquez sur le bouton **Restaurer** avant d'utiliser la touche [Entrée] afin de retrouver les anciennes valeurs.*

Pour supprimer une fiche, atteignez la fiche à supprimer.

Cliquez sur le bouton **Supprimer**.

Confirmez la suppression par le bouton **OK**.

Cliquez sur le bouton **Fermer** pour quitter le formulaire.

Modifier/supprimer une fiche à l'aide du formulaire

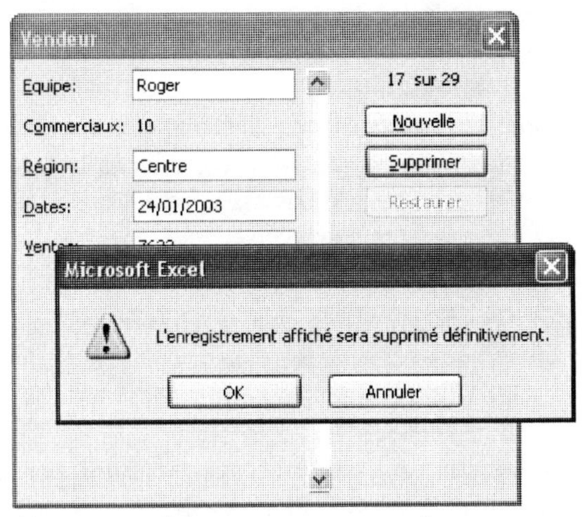

Un message d'alerte apparaît avant la suppression définitive de la fiche.

Créer et utiliser un filtre simple

Un filtre permet de sélectionner les enregistrements répondant à un critère précis.

Cliquez dans une cellule de la liste de données.

Données - Filtrer - Filtre automatique

Chaque champ devient une liste pouvant être ouverte en cliquant sur sa flèche vers le bas.

Pour filtrer sur l'une des valeurs de la liste, ouvrez la liste associée au champ concerné en cliquant sur la flèche vers le bas associée à l'étiquette du champ.

Chaque liste recense toutes les valeurs du champ.

Cliquez sur la valeur cherchée.

Procédez ainsi pour chaque champ à filtrer.

Seules les fiches qui répondent au critère de filtre sont affichées. Excel indique leur nombre sur la barre d'état et les numéros des lignes apparaissent de couleur différente.

Pour filtrer sur une valeur n'appartenant pas à la liste, ouvrez la liste associée au champ concerné en cliquant sur la flèche associée à l'étiquette du champ puis cliquez sur **Personnalisé**.

Par la première liste, sélectionnez l'opérateur de comparaison.

Activez la zone suivante et saisissez la valeur de comparaison.

Cliquez sur le bouton **OK** pour valider.

Filtrer la liste selon les valeurs maximales ou minimales d'un champ

Appliquez un filtre automatique à la liste de données.

Ouvrez la liste associée au champ concerné en cliquant sur la flèche associée à l'étiquette du champ puis cliquez sur **10 premiers**.

Dans la première liste, indiquez si vous souhaitez avoir les valeurs maximales en cliquant sur **Haut** ou minimales en cliquant sur **Bas**.

Précisez le nombre d'enregistrements correspondant aux valeurs les plus hautes ou les plus basses que vous souhaitez afficher.

Choisissez **Éléments** pour filtrer tous les enregistrements correspondant aux critères haut ou bas, ou **Pourcentage** pour filtrer un nombre de lignes correspondant au pourcentage du nombre total de valeurs de la liste.

Cliquez sur **OK** pour valider.

Créer et utiliser un filtre simple

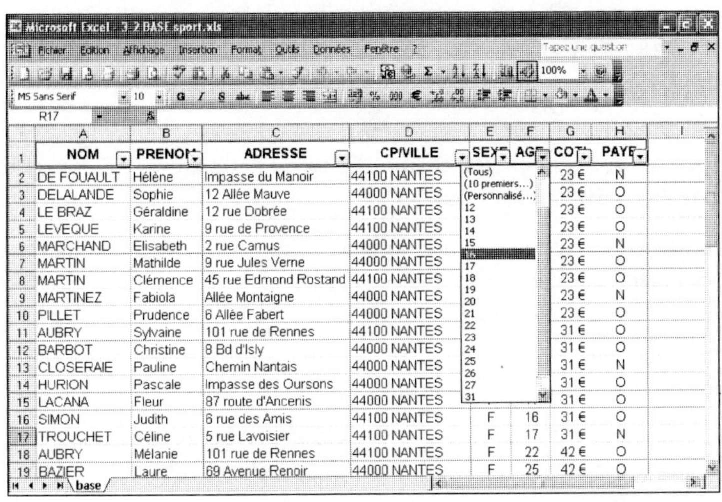

	NOM	PRENOM	ADRESSE	CP/VILLE	SEXE	AGE	COT	PAYE
2	DE FOUAULT	Hélène	Impasse du Manoir	44100 NANTES			23 €	N
3	DELALANDE	Sophie	12 Allée Mauve	44000 NANTES			23 €	O
4	LE BRAZ	Géraldine	12 rue Dobrée	44100 NANTES			23 €	O
5	LEVEQUE	Karine	9 rue de Provence	44100 NANTES			23 €	O
6	MARCHAND	Elisabeth	2 rue Camus	44000 NANTES			23 €	N
7	MARTIN	Mathilde	9 rue Jules Verne	44000 NANTES			23 €	O
8	MARTIN	Clémence	45 rue Edmond Rostand	44100 NANTES			23 €	O
9	MARTINEZ	Fabiola	Allée Montaigne	44000 NANTES			23 €	N
10	PILLET	Prudence	6 Allée Fabert	44000 NANTES			23 €	O
11	AUBRY	Sylvaine	101 rue de Rennes	44100 NANTES			31 €	O
12	BARBOT	Christine	8 Bd d'Isly	44000 NANTES			31 €	O
13	CLOSERAIE	Pauline	Chemin Nantais	44000 NANTES			31 €	N
14	HURION	Pascale	Impasse des Oursons	44000 NANTES			31 €	O
15	LACANA	Fleur	87 route d'Ancenis	44000 NANTES			31 €	O
16	SIMON	Judith	6 rue des Amis	44100 NANTES	F	16	31 €	O
17	TROUCHET	Céline	5 rue Lavoisier	44100 NANTES	F	17	31 €	N
18	AUBRY	Mélanie	101 rue de Rennes	44100 NANTES	F	22	42 €	O
19	BAZIER	Laure	69 Avenue Renoir	44000 NANTES	F	25	42 €	O

*Ce filtre permet d'afficher les fiches dont l'âge est **16**.*

Filtrer la liste selon les valeurs maximales ou minimales d'un champ

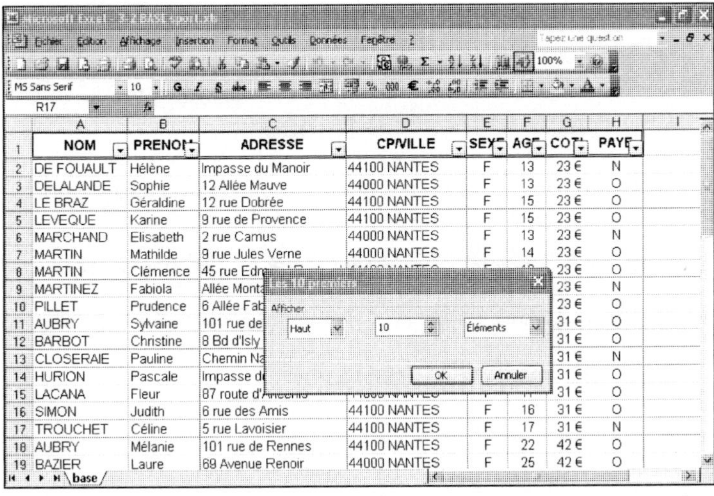

	NOM	PRENOM	ADRESSE	CP/VILLE	SEXE	AGE	COT	PAYE
2	DE FOUAULT	Hélène	Impasse du Manoir	44100 NANTES	F	13	23 €	N
3	DELALANDE	Sophie	12 Allée Mauve	44000 NANTES	F	13	23 €	O
4	LE BRAZ	Géraldine	12 rue Dobrée	44100 NANTES	F	15	23 €	O
5	LEVEQUE	Karine	9 rue de Provence	44100 NANTES	F	15	23 €	O
6	MARCHAND	Elisabeth	2 rue Camus	44000 NANTES	F	13	23 €	N
7	MARTIN	Mathilde	9 rue Jules Verne	44000 NANTES	F	14	23 €	O
8	MARTIN	Clémence	45 rue Ed				23 €	O
9	MARTINEZ	Fabiola	Allée Mont				23 €	N
10	PILLET	Prudence	6 Allée Fab				23 €	O
11	AUBRY	Sylvaine	101 rue de				31 €	O
12	BARBOT	Christine	8 Bd d'Isly				31 €	O
13	CLOSERAIE	Pauline	Chemin Na				31 €	N
14	HURION	Pascale	Impasse d				31 €	O
15	LACANA	Fleur	87 route d'				31 €	O
16	SIMON	Judith	6 rue des Amis	44100 NANTES	F	16	31 €	O
17	TROUCHET	Céline	5 rue Lavoisier	44100 NANTES	F	17	31 €	N
18	AUBRY	Mélanie	101 rue de Rennes	44100 NANTES	F	22	42 €	O
19	BAZIER	Laure	69 Avenue Renoir	44000 NANTES	F	25	42 €	O

*Ce filtre va permettre d'afficher les 10 enregistrements correspondant aux valeurs les plus hautes du champ **Age**.*

Filtrer la liste selon plusieurs critères

Activez l'environnement **Filtre automatique** par la commande **Données - Filtrer - Filtre automatique** s'il s'agit d'une plage de cellules, ou en activant la liste avancée s'il s'agit d'une liste.

Si les critères portent sur plusieurs champs, sélectionnez chaque critère à partir des zones de liste associées à chaque champ. Excel sélectionnera les enregistrements qui correspondent à chaque critère posé.

Si plusieurs critères portent sur le même champ, ouvrez la liste du champ concerné en cliquant sur la flèche associée à l'étiquette du champ.

Cliquez sur **Personnalisé**.

↳ Définissez le premier critère de filtre.

Activez l'option **Et**, si les deux critères doivent être satisfaits simultanément. Activez l'option **Ou**, si seul l'un des deux critères doit être satisfait.

Posez ensuite le second critère.

Validez en cliquant sur **OK**.

Posez ainsi vos conditions sur chaque champ concerné.

Afficher de nouveau toutes les fiches

Si un seul filtre est actif, ouvrez la liste associé au champ sur lequel porte le filtre puis cliquez sur **Tous**.

Lorsqu'un champ est filtré, la flèche associée à l'étiquette du champ est de couleur bleue.

Si plusieurs filtres sont actifs, exécutez la commande **Données - Filtrer**.

↳ Cliquez sur l'option **Afficher tout**.

Filtrer la liste selon plusieurs critères

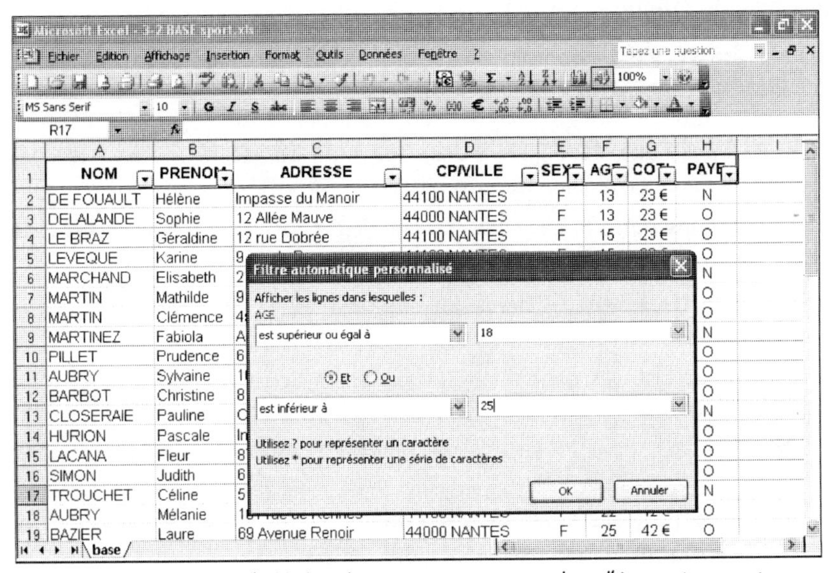

Ce filtre permet d'afficher les enregistrements dont l'âge est compris entre 18 et 25 ans.

Afficher de nouveau toutes les fiches

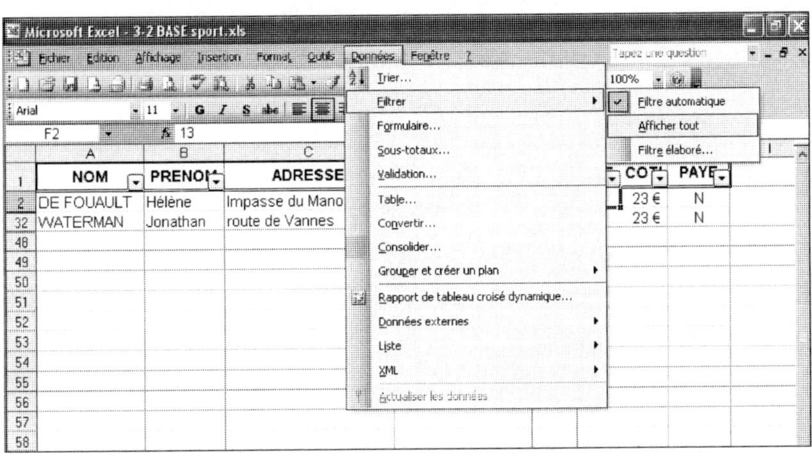

Tous les enregistrements de cette liste vont être affichés.

Créer un filtre complexe

Créer une zone de critères

Prévoyez un espace vierge de quelques colonnes et quelques lignes (généralement à côté de la liste de données).

Dans l'une des lignes vides, tapez ou copiez les noms des champs qui serviront à définir les critères.

Si vous tapez le nom des champs, faites attention à bien respecter la même orthographe que ceux de la liste.

Dans les lignes situées en-dessous, tapez les critères à respecter en prêtant attention aux consignes suivantes :

- les critères sont saisis sur plusieurs lignes s'ils doivent être combinés par **OU**,
- les critères sont saisis sur plusieurs colonnes s'ils doivent être combinés par **ET**,
- les critères sont saisis sur plusieurs lignes et plusieurs colonnes s'ils doivent être combinés par **OU** et par **ET**.

Pour filtrer selon un texte précis dans une zone de critères, entrez le texte sous forme ="= texte". Par exemple, entrez ="= MARTIN" pour extraire MARTIN mais pas MARTINEZ, MARTINELLI...

Utiliser une zone de critères pour filtrer des fiches

Cliquez dans la liste avancée ou dans la plage de cellules.
Données - Filtrer - Filtre élaboré

*Notez que, par défaut, l'option **Filtrer la liste sur place** est active.*

Cliquez dans la zone **Zone de critères**, cliquez sur le bouton pour sélectionner la zone de critères préalablement créée ; cliquez ensuite sur pour réafficher la boîte de dialogue.

Cochez l'option **Extraction sans doublon** pour filtrer les fiches en retirant les doublons.

Cliquez sur le bouton **OK**.

*Les cellules de la zone de critères s'appellent maintenant **Critères**.*

Créer un filtre complexe

Attentes	zones de critères	
Fiches du Centre, de l'Ouest et du Sud : Région Centre OU Région Ouest OU Région Sud	Région	
	Centre	
	Ouest	
	Sud	
Fiches de la région Centre faites par Le Marchand : Région Centre ET Equipe Le Marchand	Région	Equipe
	Centre	Le Marchand
Fiches de la région Centre faites par Le Marchand ou Allain ou Carlson : Région Centre ET (Équipe Le Marchand OU Équipe Allain OU Equipe Carlson)	Région	Equipe
	Centre	Le Marchand
	Centre	Allain
	Centre	Carlson

Pour mieux cerner les combinaisons ET, OU consultez les exemples proposés ci-dessus.

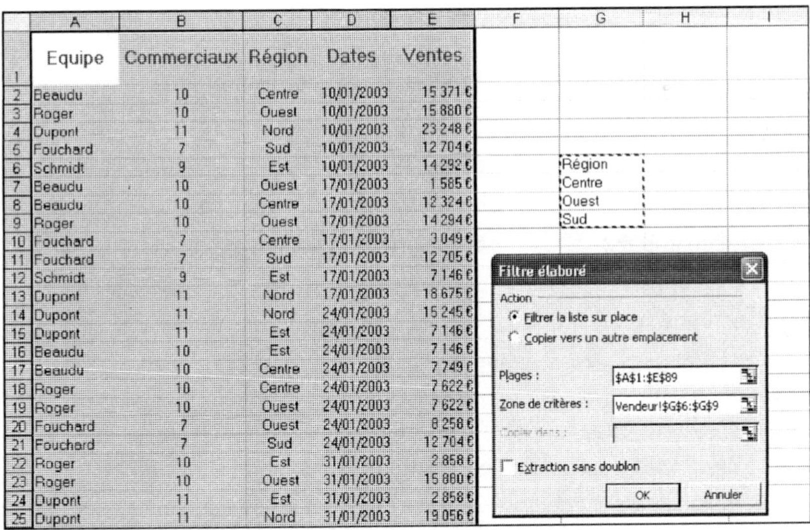

	A	B	C	D	E
1	Equipe	Commerciaux	Région	Dates	Ventes
2	Beaudu	10	Centre	10/01/2003	15 371 €
3	Roger	10	Ouest	10/01/2003	15 880 €
4	Dupont	11	Nord	10/01/2003	23 248 €
5	Fouchard	7	Sud	10/01/2003	12 704 €
6	Schmidt	9	Est	10/01/2003	14 292 €
7	Beaudu	10	Ouest	17/01/2003	1 585 €
8	Beaudu	10	Centre	17/01/2003	12 324 €
9	Roger	10	Ouest	17/01/2003	14 294 €
10	Fouchard	7	Centre	17/01/2003	3 049 €
11	Fouchard	7	Sud	17/01/2003	12 705 €
12	Schmidt	9	Est	17/01/2003	7 146 €
13	Dupont	11	Nord	17/01/2003	18 675 €
14	Dupont	11	Nord	24/01/2003	15 245 €
15	Dupont	11	Est	24/01/2003	7 146 €
16	Beaudu	10	Est	24/01/2003	7 146 €
17	Beaudu	10	Centre	24/01/2003	7 749 €
18	Roger	10	Centre	24/01/2003	7 622 €
19	Roger	10	Ouest	24/01/2003	7 622 €
20	Fouchard	7	Ouest	24/01/2003	8 258 €
21	Fouchard	7	Sud	24/01/2003	12 704 €
22	Roger	10	Est	31/01/2003	2 858 €
23	Roger	10	Ouest	31/01/2003	15 880 €
24	Dupont	11	Est	31/01/2003	2 858 €
25	Dupont	11	Nord	31/01/2003	19 056 €

*Les critères posés vont permettre d'afficher les fiches correspondant aux régions **Centre, Ouest** et **Sud**.*

Copier les fiches répondant à un filtre

Sur un emplacement de la feuille, entrez côte à côte les noms des champs dont vous souhaitez copier le contenu.
Créez une zone de critères.
Cliquez dans la liste avancée ou dans la plage de cellules.
Données - Filtrer - Filtre élaboré

Dans le cadre **Action**, activez l'option **Copier vers un autre emplacement**.

*La zone **Copier dans** devient accessible.*

Précisez, si besoin est, où se trouve la **Zone de critères**.
Cliquez dans la zone **Copier dans** puis montrez les cellules contenant les noms de champs que vous venez de saisir à l'aide d'un cliqué-glissé.
Cochez l'option **Extraction sans doublon** pour copier les fiches en retirant les doublons. Cliquez sur **OK**.

Si vous modifiez la zone de critères, relancez le filtre.

Effectuer des statistiques sur les fiches

Ces calculs statistiques vont concerner les fiches dont les valeurs correspondent aux critères de la zone de critères.
Créez la zone de critères adéquate. Utilisez les fonctions suivantes :

=BDNB(Bdd;champ;cr)	pour dénombrer les cellules
=BDSOMME(Bdd;champ;cr)	pour additionner les valeurs du champ
=BDMOYENNE(Bdd;champ;cr)	pour calculer la moyenne du champ
=BDMAX(Bdd;champ;cr)	pour extraire la valeur maximale du champ
=BDMIN(Bdd;champ;cr)	pour extraire la valeur minimale du champ

Dans lesquelles vous remplacez :

- **Bdd** par la référence des cellules ou le nom de la plage qui contient la liste des fiches (y compris les en-têtes de colonne).
- **champ** par l'en-tête de la colonne à partir de laquelle le calcul doit être effectué.
- **cr** par les références des cellules qui contiennent la zone de critères.

Dès que vous modifiez un élément de la zone de critères, les statistiques se mettent à jour automatiquement.

Copier les fiches répondant à un filtre

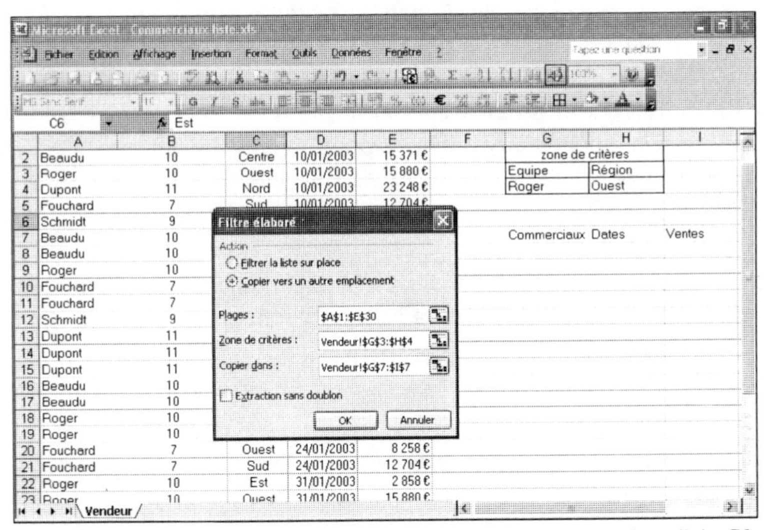

*La copie se fera dans une plage de cellules commencant par la cellule **G8**.*
*La zone de critères se trouve dans la plage **G3** à **H4**.*

Effectuer des statistiques sur les fiches

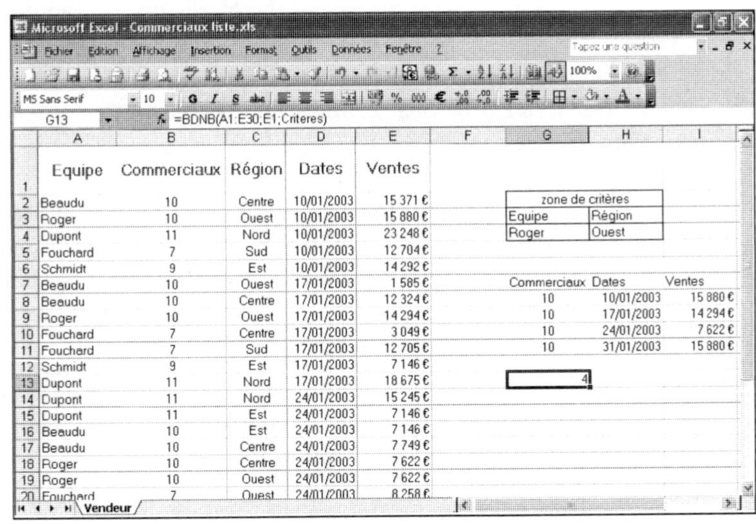

*Dans l'exemple, nous avons calculé le nombre de **Ventes** correspondant aux critères définis en **G3:H4**.*

Créer un tableau croisé dynamique

Un tableau croisé dynamique permet de faire la synthèse et d'analyser les données provenant d'une liste de données.

Cliquez dans la liste de données.

Données - Rapport de tableau croisé dynamique

Indiquez quelle est la source des données pour réaliser ce tableau croisé : laissez la première option active s'il s'agit d'une liste de données d'Excel. Cliquez, si besoin, sur l'option **Tableau croisé dynamique** du cadre **Quel type de rapport voulez-vous créer ?**. Cliquez sur **Suivant >**.

Cliquez sur , sélectionnez la plage des cellules contenant les données utilisées pour remplir le tableau (ce peut être toute la liste de données) ou tapez le nom de la liste puis cliquez ensuite sur pour réafficher la boîte de dialogue.

Si la plage se trouve dans un autre classeur, utilisez la syntaxe suivante : [Nom_classeur]nom feuille!plage.

Cliquez sur **Suivant >** puis cliquez sur le bouton **Disposition** pour définir la structure du tableau.

Faites glisser sur la zone **LIGNE** le champ dont les valeurs doivent apparaître en en-tête de lignes. Faites glisser sur la zone **COLONNE** les champs dont les valeurs doivent apparaître en titre de colonnes. Faites glisser sur la zone **DONNÉES**, le champ dont les valeurs seront utilisées pour remplir le tableau. Si besoin est, faites glisser un champ sur la zone **PAGE** : vous pourrez sélectionner une valeur de ce champ pour que les calculs du tableau ne s'appliquent qu'à cette valeur.

*La zone **DONNÉES** ne peut contenir que des éléments sur lesquels Excel peut effectuer des calculs.*

Cliquez sur **OK**.

Précisez l'emplacement du tableau croisé grâce à l'option **Destination** : cliquez sur l'option **Feuille existante** puis sélectionnez la cellule supérieure gauche dans la feuille de calcul dans laquelle vous souhaitez placer le tableau croisé ou laissez l'option **Nouvelle feuille** active si vous souhaitez l'insérer dans une nouvelle feuille.

Cliquez sur **Terminer** : le tableau croisé dynamique apparaît accompagné de la boîte de dialogue **Liste de champs de tableau croisé** et de la barre d'outils **Tableau croisé dynamique**.

Attention : bien qu'un tableau croisé soit lié à la liste dont il est issu, sa mise à jour ne se fait que sur ordre.

Créer un tableau croisé dynamique

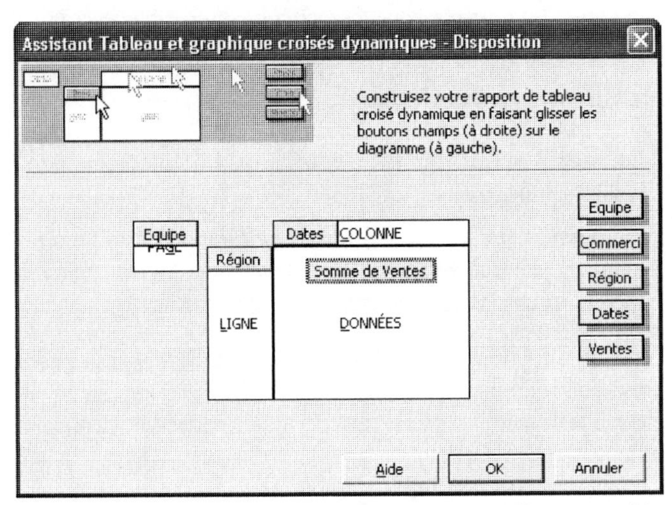

Ce tableau nous permettra de calculer la somme par Equipe, des Ventes par Région et par Date.

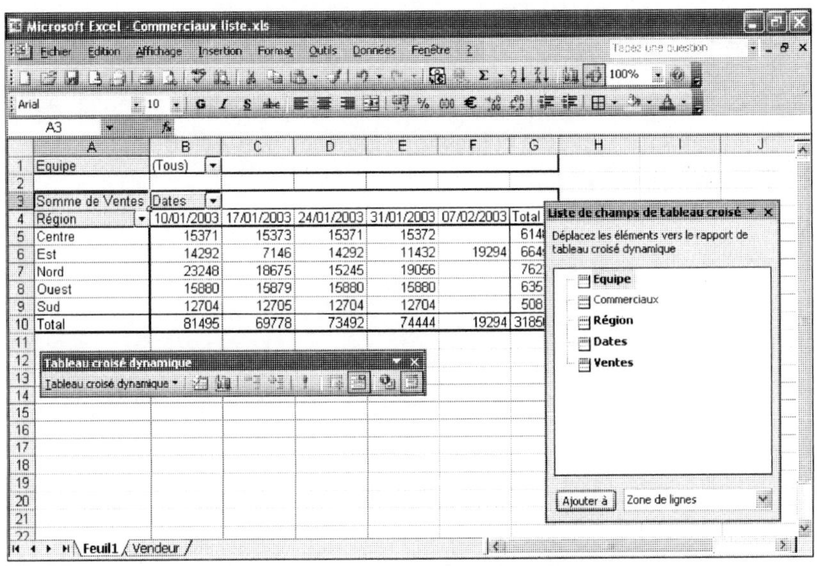

Ce tableau calcule la somme des ventes par région et par date.

Mettre à jour les données d'un tableau croisé

Cette technique permet de mettre à jour les données d'un tableau croisé dynamique si les données source, dans la liste de données, ont été modifiées.

Cliquez dans une cellule du tableau croisé.

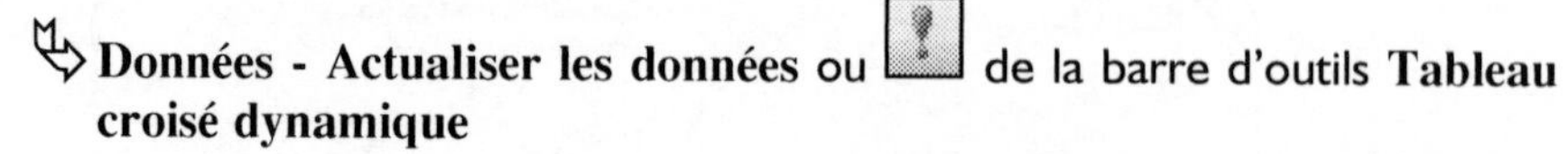

Données - Actualiser les données ou de la barre d'outils **Tableau croisé dynamique**

Un message peut apparaître si lors de l'actualisation des données la structure du tableau croisé change (ex : une colonne ou une ligne supplémentaire) ; dans ce cas validez par ***OK****.*

Si vous effectuez un double clic sur une des valeurs résultat de la zone des données d'un tableau croisé dynamique, Excel affiche dans une nouvelle feuille, le détail des données sources ayant servi à effectuer ce calcul.

Masquer/afficher des lignes/colonnes du tableau croisé

Ouvrez la liste associée à l'étiquette de champ concerné.

Décochez les valeurs correspondant aux lignes ou colonnes à masquer.

Cochez les valeurs correspondant aux lignes ou colonnes à afficher.

Cliquez sur **OK**.

Mettre à jour les données d'un tableau croisé

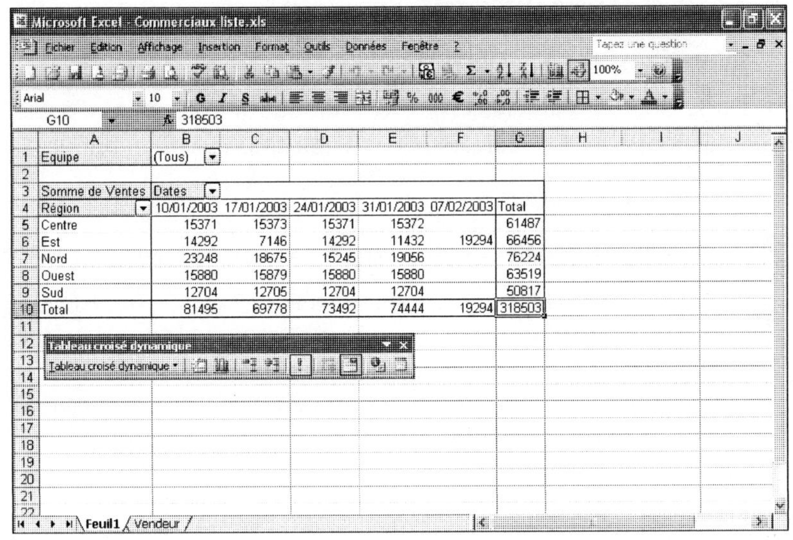

Equipe	(Tous)					
Somme de Ventes	Dates					
Région	10/01/2003	17/01/2003	24/01/2003	31/01/2003	07/02/2003	Total
Centre	15371	15373	15371	15372		61487
Est	14292	7146	14292	11432	19294	66456
Nord	23248	18675	15245	19056		76224
Ouest	15880	15879	15880	15880		63519
Sud	12704	12705	12704	12704		50817
Total	81495	69778	73492	74444	19294	318503

Le montant total des ventes a été mis à jour.

Masquer/afficher des lignes/colonnes du tableau croisé

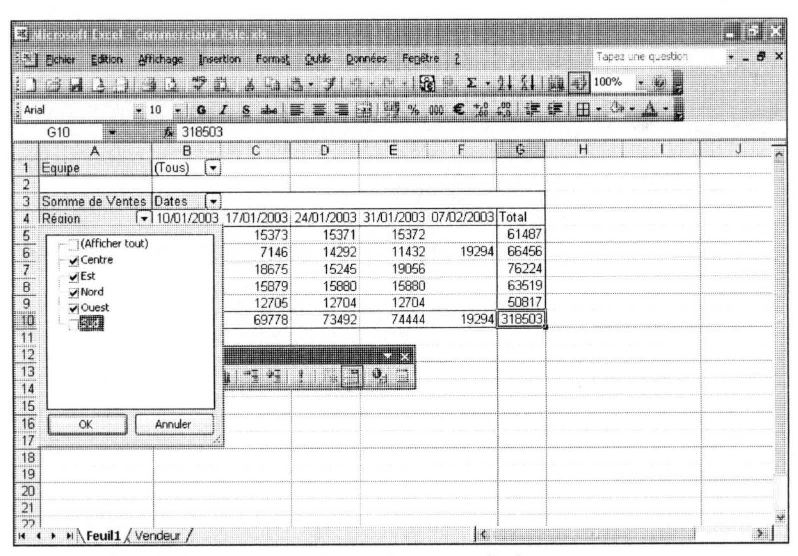

*Les lignes correspondant à la région **Sud** seront masquées.*

Modifier le contenu d'un tableau croisé

Cliquez dans le tableau croisé dynamique.

Données - Rapport de tableau croisé dynamique

ou cliquez sur le bouton **Tableau croisé dynamique** (de la barre d'outils **Tableau croisé dynamique**) puis sur l'option **Assistant Tableau croisé dynamique**.

Cliquez sur le bouton **Disposition**.

Redéfinissez le contenu du tableau comme vous avez pu le faire lors de sa création.

L'ajout d'un champ peut également s'effectuer en faisant glisser le champ correspondant de la fenêtre **Liste de champs de tableau croisé dynamique** sur le tableau croisé dynamique.
Pour supprimer un champ, faites glisser le champ concerné hors du tableau croisé dynamique.

Modifier la présentation d'un tableau croisé

Sélectionnez les cellules à mettre en forme et appliquez-leur le nouveau format comme vous pouvez le faire dans une feuille de calcul.

Pour appliquer un format automatique à tout le tableau, cliquez sur une des cellules du tableau croisé dynamique puis cliquez sur l'outil **Mettre en forme le rapport** de la barre d'outils **Tableau croisé dynamique**.

Cliquez sur un des formats automatiques proposés et validez votre choix.

Modifier le contenu d'un tableau croisé

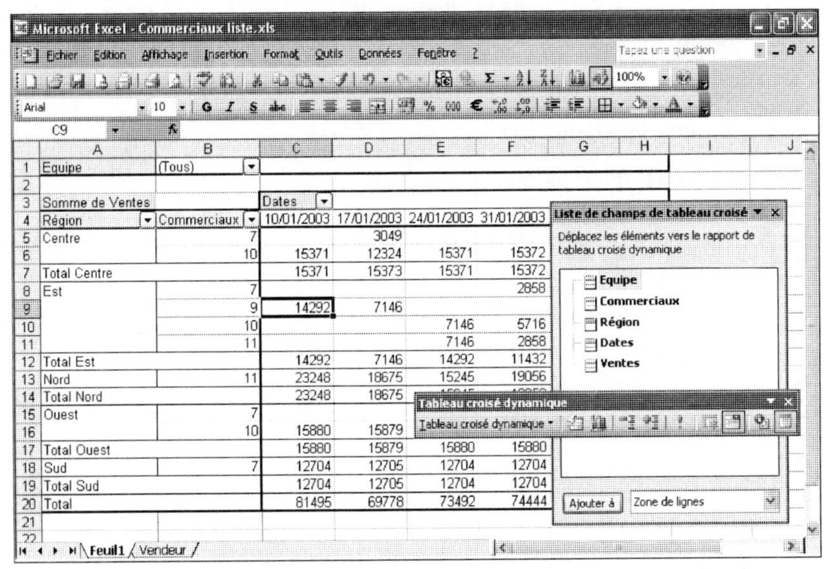

*Ce tableau possède deux champs LIGNE (**Région** et **Commerciaux**).*

Modifier la présentation d'un tableau croisé

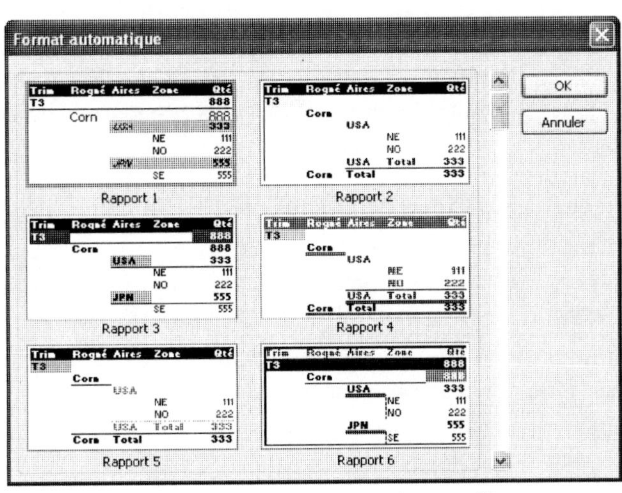

Les premiers formats proposés, de type Rapport, modifient l'organisation du tableau.

Filtrer les données d'un tableau croisé

*Le filtrage va vous permettre de modifier l'affichage des données du tableau croisé dynamique en sélectionnant le critère désiré dans la liste déroulante du champ ajouté dans la zone **PAGE**.*

Ajoutez, si besoin est, un champ dans la zone **PAGE**.

Cliquez sur la flèche associée au champ de page.

Sélectionnez la valeur désirée dans la liste déroulante puis cliquez sur **OK**.

Pour annuler le filtre, sélectionnez l'option **(Tous)** dans la liste déroulante associée au champ de page puis cliquez sur **OK**.

Modifier la fonction associée au champ DONNÉES

Par défaut le calcul effectué sur les champs DONNÉES est une somme.

Faites un double clic sur l'étiquette du champ de données que vous souhaitez personnaliser (cette étiquette se trouve à l'intersection de la première ligne et de la première colonne du tableau).

Cliquez dans la zone **Nom** pour modifier le nom du champ de données sélectionné.

Cliquez sur une fonction dans la zone **Synthèse par** pour changer la fonction utilisée pour le calcul des données du champ sélectionné.

Cliquez sur le bouton **Nombre** pour mettre en forme les valeurs du champ de données sélectionné.

Cliquez sur **Options** pour créer un calcul personnalisé pour le champ de données sélectionné.

Validez en cliquant sur **OK**.

Filtrer les données d'un tableau croisé

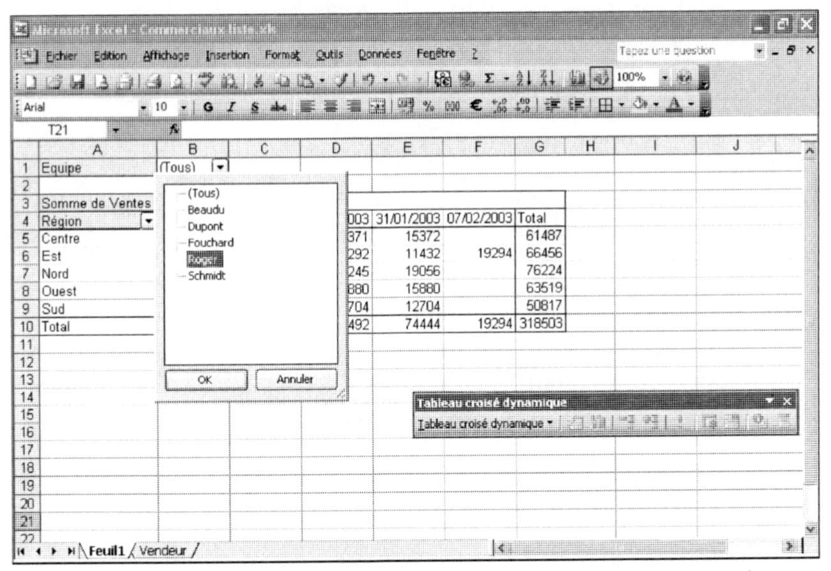

Ici, nous souhaitons visualiser la somme des ventes par région et par date pour l'équipe **Roger** *uniquement.*

Modifier la fonction associée au champ DONNÉES

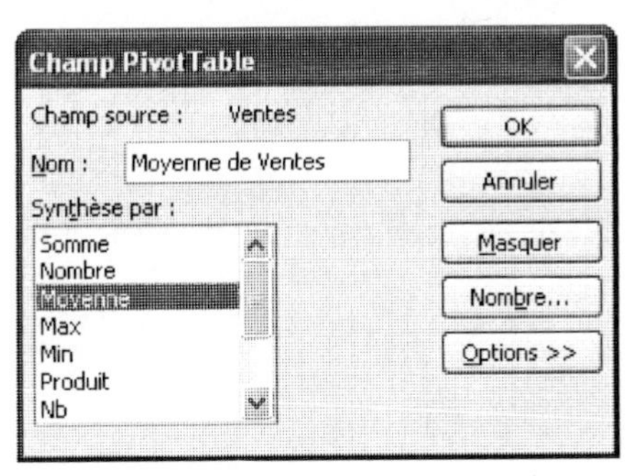

Le calcul effectué sur le champ de données ***Ventes*** *est la moyenne.*

Regrouper les lignes ou colonnes du tableau

Si le champ contient des dates ou heures, cette technique va vous permettre de créer des regroupements par périodes précises (mois, trimestre...).

Cliquez sur l'étiquette du champ contenant les éléments à regrouper.

Données - Grouper et créer un plan - Grouper

Précisez les caractéristiques du regroupement ; s'il s'agit d'une date, par exemple, indiquez la date de début et de fin ainsi que la ou les périodes de regroupement.

Validez en cliquant sur **OK**.

Pour annuler le regroupement, cliquez sur l'étiquette du champ puis exécutez la commande **Données - Grouper et créer un plan - Dissocier**.

Créer un tableau croisé pour chaque valeur du champ PAGE

Cliquez dans une cellule du tableau croisé dynamique.

Cliquez sur le bouton **Tableau croisé dynamique** de la barre d'outils de même nom puis cliquez sur **Afficher les pages**.

Sélectionnez le champ PAGE pour lequel vous désirez créer les tableaux croisés.

Cliquez sur le bouton **OK**.

Chaque tableau est créé dans une nouvelle feuille du classeur actif.

Regrouper les lignes ou colonnes du tableau

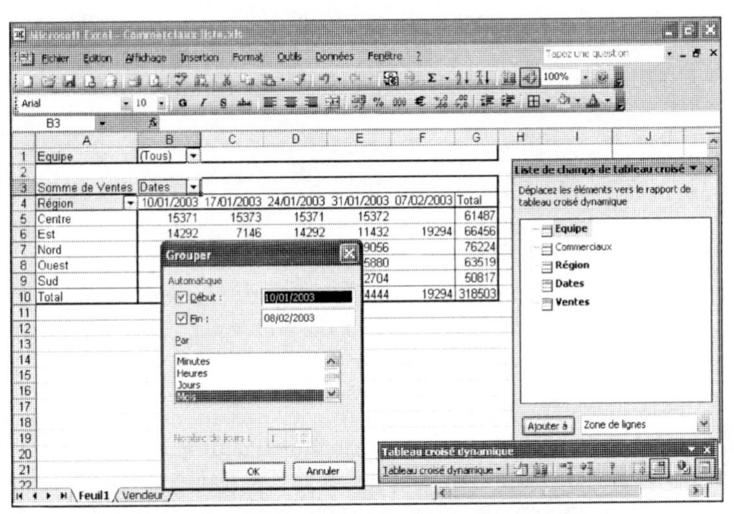

Cette fonction permet de regrouper les dates par mois.

Créer un tableau croisé pour chaque valeur du champ PAGE

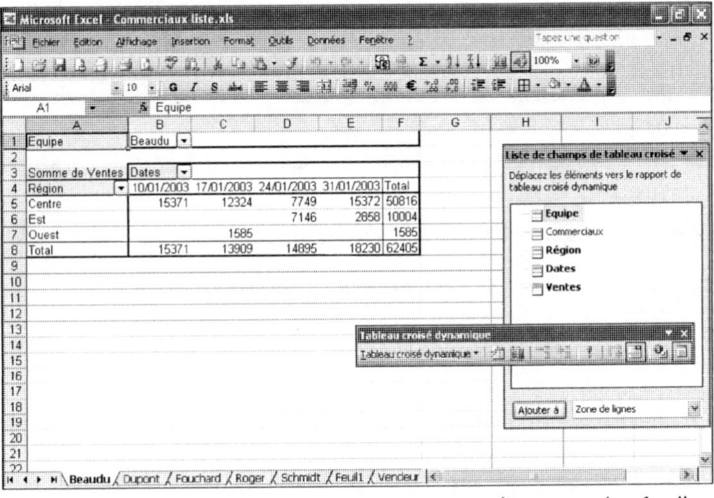

Un tableau croisé a été créé pour chaque équipe. Les noms des feuilles correspondent aux valeurs du champ **Equipe**.

Créer un graphique croisé dynamique

Un graphique dynamique est toujours associé à un tableau croisé dynamique. Toutes les modifications apportées au tableau croisé sont répercutées sur le graphique et vice versa. Pour créer un graphique dynamique, il existe plusieurs méthodes, lesquelles varient en fonction de la source des données à représenter. Dans notre cas, nous utiliserons un tableau croisé comme source de données.

Cliquez sur le tableau croisé puis sur l'outil de la barre d'outils **Tableau croisé dynamique**.

Un graphique de type histogramme empilé (type par défaut) est créé automatiquement dans une feuille graphique. Les données en ligne du tableau croisé deviennent les catégories du graphique, les données en colonne deviennent les séries du graphique.

L'option **Rapport de graphique croisé dynamique (avec rapport de tableau croisé dynamique)** du menu **Données - Rapport du tableau croisé dynamique** permet de créer un graphique dynamique en prenant comme source de données une base de données Excel, Access ou OLAP ou tout simplement des plages de cellules Excel. Dans tous les cas, un tableau croisé dynamique sera généré automatiquement en même temps que le graphique dynamique.

Masquer/afficher les données du graphique

Pour supprimer un champ du graphique, faites glisser le bouton du champ hors du graphique.
Pour ajouter un champ, faites-le glisser de la fenêtre **Liste de champs de tableau croisé dynamique** vers le graphique.

*Si la fenêtre **Liste de champs de tableau croisé dynamique** n'est pas affichée, affichez-la en cliquant sur de la barre d'outils **Tableau croisé dynamique**.*

Pour masquer/afficher certaines données, ouvrez la liste correspondant au champ concerné.

Désactivez ou activez l'option correspondant aux données à masquer ou à afficher.

Cliquez le bouton **OK**.

Créer un graphique croisé dynamique

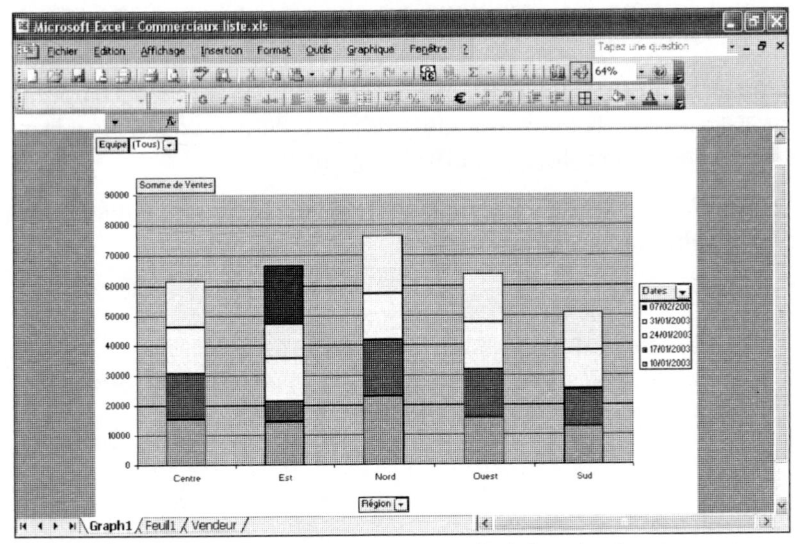

Les listes déroulantes permettent de définir les données à afficher ou à masquer.

Masquer/afficher les données du graphique

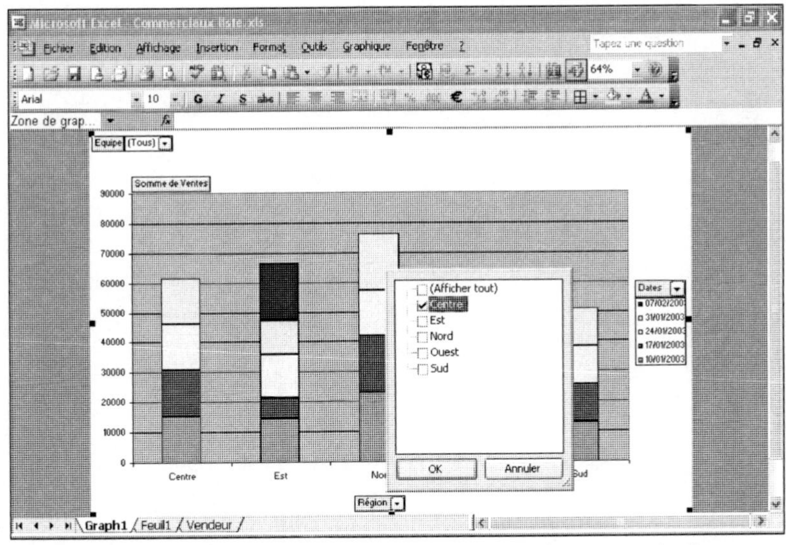

Ici, nous souhaitons masquer toutes les régions à l'exception du **Centre**.

Modifier/déplacer un graphique dynamique et sa légende

Pour modifier le type du graphique dynamique, utilisez la commande **Graphique - Type de graphique**.

Pour déplacer le graphique dynamique, utilisez la commande **Graphique - Emplacement**. Cliquez sur l'option **En tant qu'objet dans** puis précisez le nom de la feuille vers laquelle vous souhaitez déplacer le graphique.

Pour déplacer la légende d'un graphique dynamique, ouvrez le menu **Graphique - Options du graphique**.

Activez l'onglet **Légende**.

Les titres du graphique dynamique et des axes ne peuvent pas être déplacés, mais vous pouvez les redimensionner en changeant la taille de la police de caractères.

Modifier/déplacer un graphique dynamique et sa légende

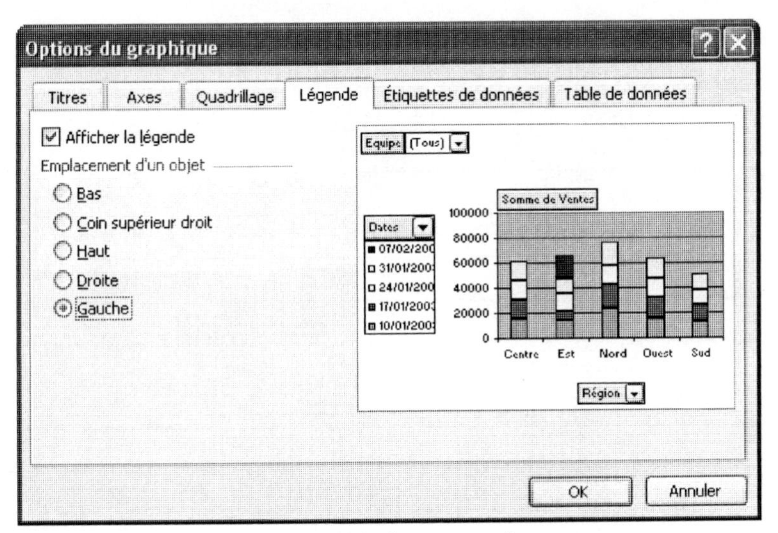

Vous ne pouvez pas déplacer ou redimensionner la légende avec la souris.

NOTES PERSONNELLES

Chapitre 5

TRAVAIL COLLABORATIF

Protéger un classeur à l'aide d'un mot de passe

Outils - Options puis cliquez sur l'onglet **Sécurité**.

Pour protéger la lecture d'un classeur, saisissez un **Mot de passe pour la lecture** afin de contrôler les ouvertures de votre classeur et éviter ainsi que les utilisateurs non autorisés ne le consultent.

Pour protéger la modification d'un classeur, saisissez un **Mot de passe pour la modification** pour éviter toute modification accidentelle (ou non) de votre classeur.

Pour Confirmer le mot de passe, saisissez-le une nouvelle fois dans la fenêtre qui apparaît lorsque vous cliquez sur le bouton **OK** de la fenêtre d'**Options**.

Dans ce cas, il n'y a aucun cryptage du contenu du classeur. Ce mot de passe empêche un utilisateur non autorisé de modifier le contenu de votre classeur d'origine, mais il peut malgré tout apporter des modifications et enregistrer le classeur sous un autre nom !

Pour autoriser la lecture de votre classeur, cochez l'option **Lecture seule recommandée.**

Cette fonctionnalité peut être combinée avec la demande de saisie d'un mot de passe protégeant tout enregistrement de modifications.

Pour supprimer un mot de passe, sélectionnez à l'aide d'un cliqué-glissé le contenu du champ **Mot de passe pour la lecture** ou **Mot de passe pour la modification** puis appuyez sur la touche Suppr de votre clavier.

Protéger un classeur à l'aide d'un mot de passe

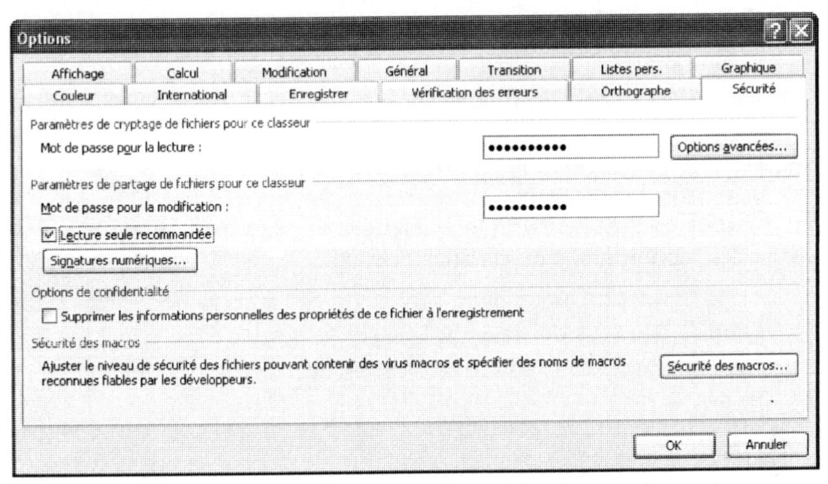

*Le bouton **Options avancées** permet de modifier le type de cryptage utilisé par Excel.*

Ouvrir un classeur protégé par mot de passe

Selon qu'un mot de passe de modification est souhaité ou non (voir titre précédent), la procédure d'ouverture du classeur en sera légèrement modifiée.

En effet, si un mot de passe de modification est sollicité, Excel vous en demande la saisie.

Si vous ne connaissez pas le mot de passe, le bouton **Lecture seule** vous permet d'ouvrir le classeur mais vous ne pourrez pas enregistrer les modifications du classeur original.

Par contre, si vous avez saisi dans cette boîte de dialogue le mot de passe souhaité puis avez validé par le bouton **OK**, Excel vous demande alors si vous souhaitez l'ouvrir en lecture seule ou non.

Dans ce cas, si vous cliquez sur **Non**, vous pourrez enregistrer vos modifications.

Ouvrir un classeur protégé par mot de passe

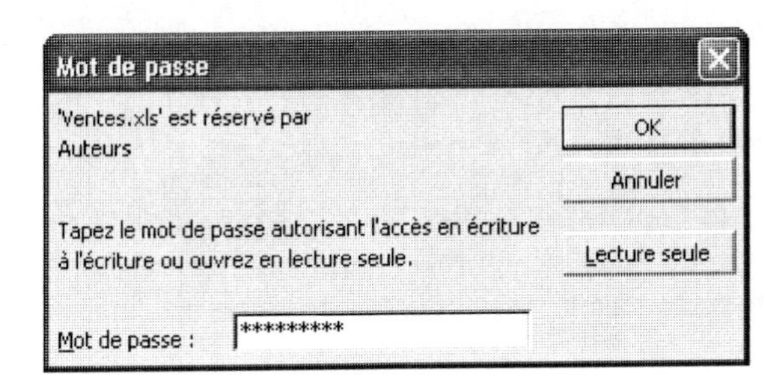

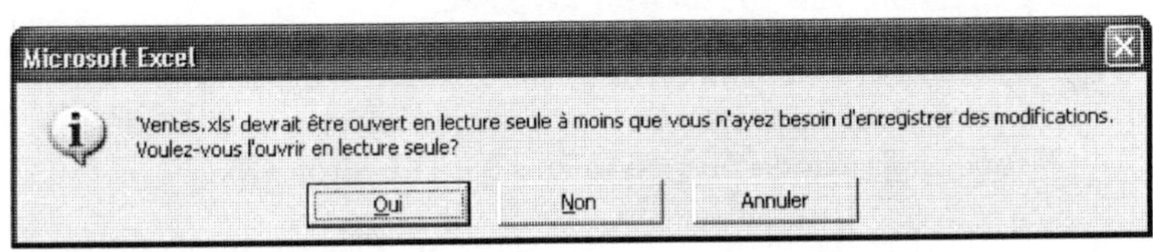

Notez que ce message vous est également proposé à l'ouverture d'un classeur pour lequel l'option de sécurité ***Lecture seule recommandée*** *a été cochée et que aucun mot de passe de modification n'est demandé.*

Protéger la structure et les fenêtres du classeur

Grâce à cette protection, vous interdisez la suppression des feuilles, leur déplacement, l'ajout de nouvelles feuilles...

Outils - Protection - Protéger le classeur

Cochez l'option **Structure** pour interdire à toute personne non autorisée de déplacer, supprimer, masquer, rendre visible ou renommer des feuilles de calcul ou d'insérer de nouvelles feuilles de calcul dans ce classeur.

Cochez l'option **Fenêtres** pour que les fenêtres de ce classeur aient la même taille et la même position à chaque ouverture.

Pour empêcher tout utilisateur non autorisé de supprimer cette protection, saisissez un **Mot de passe**.

Cliquez sur le bouton **OK**.

Si vous avez saisi un mot de passe, Excel vous demande de le ressaisir pour confirmation puis de valider par le bouton **OK**.

Pour **Ôter la protection du classeur**, cliquez sur l'option de même nom du menu **Outils - Protection**. Saisissez, si nécessaire, le **Mot de passe** puis validez.

Protéger la structure et les fenêtres du classeur

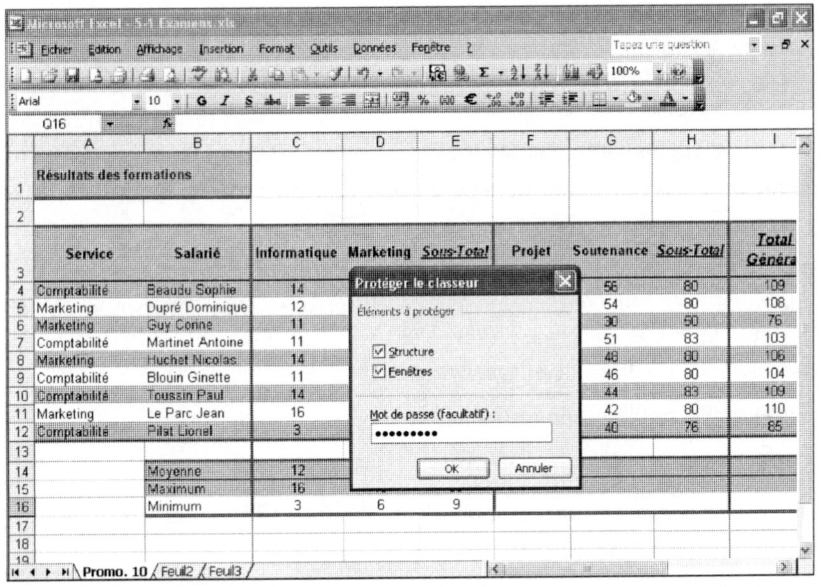

Excel distingue les majuscules des minuscules des caractères saisis en tant que mot de passe. Notez également que par souci de confidentialité, les caractères n'apparaissent jamais à l'écran.

Protéger/déprotéger des cellules pour tous les utilisateurs

Si vous désirez autoriser la saisie de données uniquement dans certaines cellules d'une feuille de calcul, vous devez au préalable indiquer dans quelles cellules la saisie sera autorisée et ensuite, protéger la feuille entière.

Annuler l'état de verrouillage des cellules

Sélectionnez les cellules dans lesquelles la saisie sera autorisée.

Format - Cellule ou Ctrl Shift 1

Dans l'onglet **Protection**, décochez l'option **Verrouillée**.

Par défaut toutes les cellules d'une feuille de calcul sont verrouillées mais ce verrouillage est sans effet si la feuille n'est pas protégée.

Validez en cliquant sur le bouton **OK**.

Activer l'état de verrouillage de la feuille

Outils - Protection - Protéger la feuille

Veillez à ce que l'option **Protéger la feuille et le contenu des cellules verrouillées** soit cochée.

Cochez (ou décochez), si besoin, les commandes qui pourront être réalisées par les utilisateurs dans la liste **Autoriser tous les utilisateurs de cette feuille à**.

Validez en cliquant sur **OK** ou saisissez un mot de passe, si besoin est, dans la zone **Mot de passe pour ôter la protection de la feuille**.

255 caractères peuvent ainsi être saisis ; faites très attention, Excel distingue les majuscules des minuscules. Ces caractères ne seront jamais visualisés à l'écran.

Pour confirmation, entrez une seconde fois ce même mot de passe et validez par **OK**.

*Si vous tentez de saisir une donnée sur une cellule protégée, un message d'alerte s'affiche. Cliquez alors sur **OK** pour fermer cette boîte de dialogue.*

*Certaines options du menu **Format** ne sont plus disponibles sur une feuille protégée (les boutons correspondants sont grisés).*

Pour annuler la protection de la feuille, utilisez la commande **Outils - Protection - Ôter la protection de la feuille**.

Saisissez, si besoin est, le mot de passe qui a servi à protéger la feuille et validez.

Protéger/déprotéger des cellules pour tous les utilisateurs

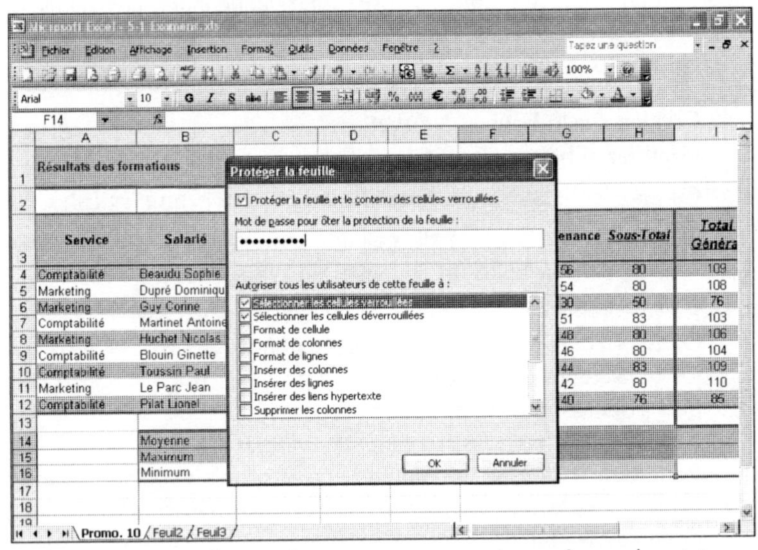

Les caractères du mot de passe apparaissent sous forme de points.

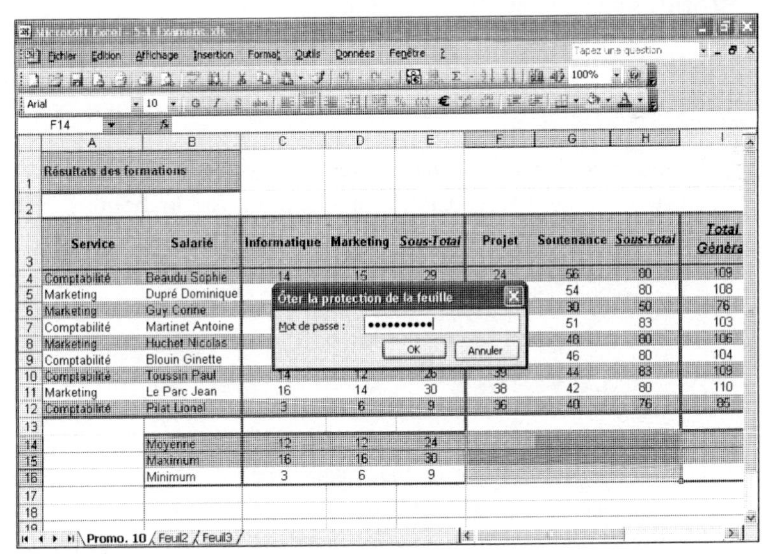

La protection de la feuille pourra être annulée seulement si le mot de passe saisi est correct.

Autoriser l'accès aux cellules pour certains utilisateurs

Cette technique permet de protéger les cellules d'une feuille et d'autoriser l'accès à différentes plages de cellules soit par des mots de passe différents soit, si vous disposez du système d'exploitation Windows 2000 ou XP, en sélectionnant des noms d'utilisateurs (dans ce cas, votre PC doit se trouver dans un domaine).

Outils - Protection - Permettre aux utilisateurs de modifier des plages

Cliquez sur le bouton **Nouvelle**.

Modifiez si besoin, le **Titre** associé à cette plage.

Cliquez sur de la zone **Fait référence aux cellules**, sélectionnez dans la feuille la plage de cellules concernée puis cliquez sur pour revenir dans la boîte de dialogue **Nouvelle plage**.

Utilisez la touche Ctrl pour sélectionner des plages de cellules discontinues.

Dans la zone **Mot de passe de la plage**, saisissez le mot de passe que les utilisateurs devront saisir pour pouvoir modifier cette plage, validez, puis pour confirmer, saisissez une deuxième fois ce même mot de passe et validez.

Pour définir la liste des utilisateurs auxquels vous souhaitez donner des droits d'accès, cliquez sur le bouton **Autorisations d'accès** puis sur le bouton **Ajouter**.

Saisissez les noms des utilisateurs ou ordinateurs ou groupes concernés par les droits, séparés par un point virgule (;). Cliquez sur le bouton **Vérifier les noms** pour identifier les coordonnées saisies. Cliquez à deux reprises sur le bouton **OK** lorsque tous les noms ont été saisis et vérifiés.

Si vous avez besoin de définir une autre plage de cellules associée à un autre mot de passe, cliquez à nouveau sur le bouton **Nouvelle** puis effectuez les opérations décrites précédemment.

Cliquez sur le bouton **Protéger la feuille**, vérifiez que l'option **Protéger la feuille et le contenu des cellules verrouillées** est bien cochée, et si besoin, cochez ou décochez les options dans la liste **Autoriser tous les utilisateurs de cette feuille à**.

Validez.

Si vous tentez de saisir une donnée dans une cellule appartenant à une plage dont l'autorisation de modification est limitée par un mot de passe (et si, possédant Windows 2000 ou XP, vous n'avez pas été désigné comme utilisateur pouvant modifier la plage sans mot de passe), Excel vous demande de saisir le mot de passe.

Autoriser l'accès aux cellules pour certains utilisateurs

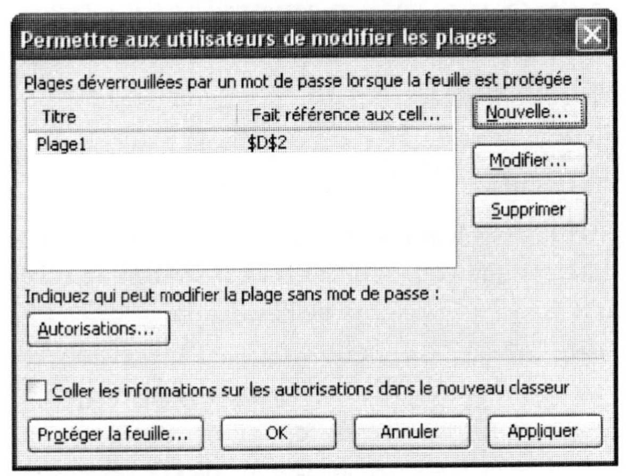

L'option ***Coller les informations sur les autorisations dans le nouveau classeur*** permet de résumer les autorisations dans un nouveau classeur.

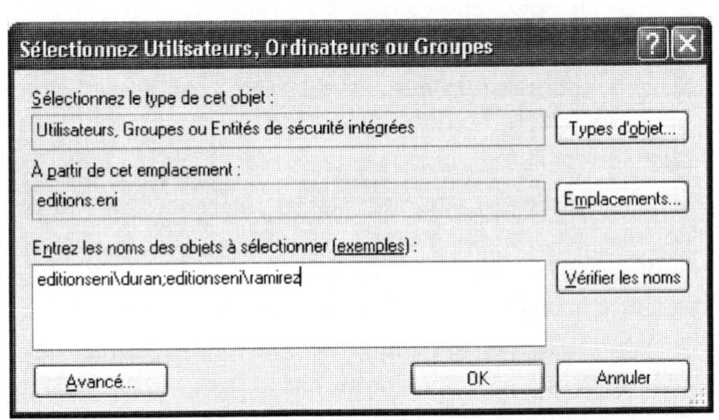

Le lien ***exemples*** vous présente différentes syntaxes possibles.

Définir les données autorisées

Vous pouvez empêcher la saisie de données ne répondant pas à certains critères de validation.

Sélectionnez les cellules concernées.
Données - Validation

Cliquez sur l'onglet **Options**.

Ouvrez la liste **Autoriser** et choisissez une option en fonction du type de données que vous souhaitez autoriser dans la cellule :

Tout	pas de restriction.
Nombre entier	la donnée doit être un nombre entier.
Décimal	la donnée doit être un nombre ou une fraction.
Liste	cette option permet de définir une référence de cellules contenant les données autorisées.
Date	la donnée doit être une date.
Heure	la donnée doit être une heure.
Longueur du texte	cette option permet de préciser le nombre de caractères autorisé pour la donnée.
Personnalisé	cette option permet d'entrer une formule pour définir les données autorisées.

Pour les choix **Nombre entier**, **Décimal**, **Date**, **Heure**, choisissez ensuite un opérateur dans la liste **Données** puis complétez les options en fonction de l'opérateur sélectionné.

Si vous choisissez **Longueur du texte**, choisissez l'opérateur **égale à** puis précisez le nombre de caractères autorisé dans le champ **Longueur**.

Si vous choisissez **Liste**, précisez les références de cellules contenant les données autorisées en tant que **Source** ; cochez l'option **Liste déroulante dans la cellule** si vous souhaitez faire apparaître dans les cellules une liste déroulante contenant les données autorisées.

Si vous choisissez **Personnalisé**, saisissez la formule de calcul dans la zone **Formule** en commençant par le signe égal (=). Cette formule doit être une formule de type logique, de résultat VRAI ou FAUX.

Quel que soit le type de données, activez l'option **Ignorer si vide** si vous acceptez que la cellule reste vide.

Définir les données autorisées

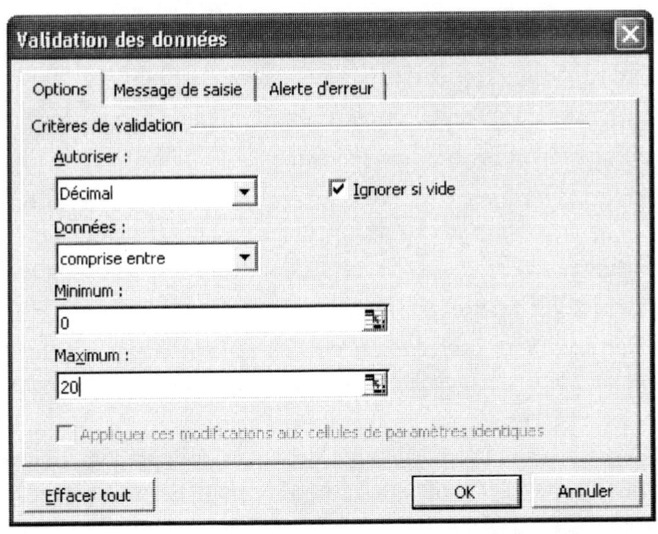

Ces critères de validation interdisent la saisie d'une donnée ne se présentant pas au format décimal et d'une valeur différente de 0 à 20.

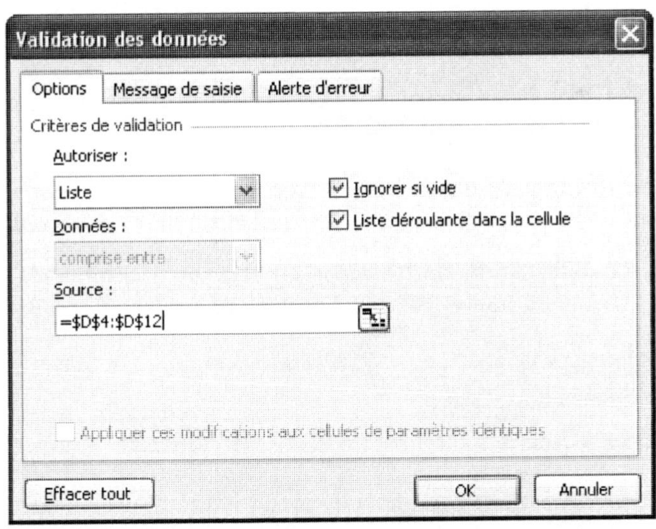

Les entrées valides doivent être les mêmes que celles qui se trouvent dans les cellules D4 à D12.

Définir les données autorisées (suite)

↳ Cliquez sur l'onglet **Alerte d'erreur** afin de définir le message à afficher lorsque les données saisies ne correspondent pas aux critères de validation.

Laissez l'option **Quand des données non valides sont tapées** cochée puis précisez les options suivantes :

Style	le symbole devant apparaître dans la boîte de dialogue contenant le message d'erreur.
Titre	le titre de cette boîte de dialogue.
Message d'erreur	le texte du message.

*Pour supprimer toutes les sélections et les transformations des trois onglets de la boîte de dialogue **Validation des données**, cliquez sur le bouton **Effacer tout**.*

Cliquez sur l'onglet **Message de saisie** pour définir le titre et le message d'une info-bulle à afficher lorsque le pointeur se trouve sur la cellule.

Cliquez sur **OK**.

Les données préalablement saisies ne sont pas contrôlées automatiquement.

Entourer les données non valides

Cette manipulation permet de mettre en évidence, en les entourant d'un cercle rouge, les cellules contenant des données qui ne répondent pas aux critères de validation.

Affichez la barre d'outils **Audit de formules** en activant la commande **Outils - Audit de formules - Afficher la barre d'outils Audit de formules.**

↳ Cliquez sur [icône] pour mettre en évidence les cellules contenant des données non valides.

Pour effacer les cercles rouges, cliquez sur [icône].

Définir les données autorisées (suite)

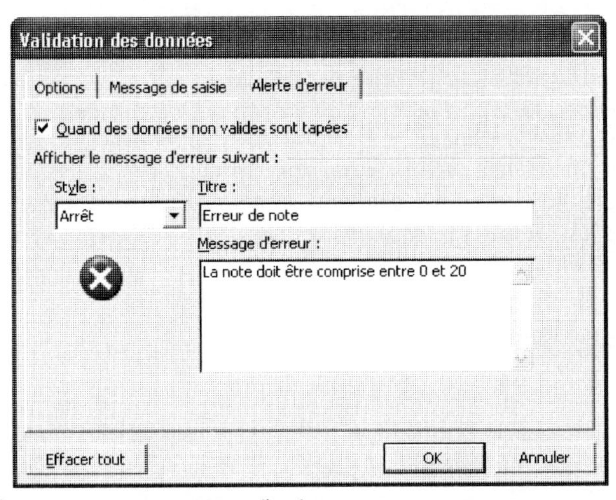

Ce message apparaîtra si l'utilisateur saisit une note comprise en dehors de l'intervalle 0 à 20.

Entourer les données non valides

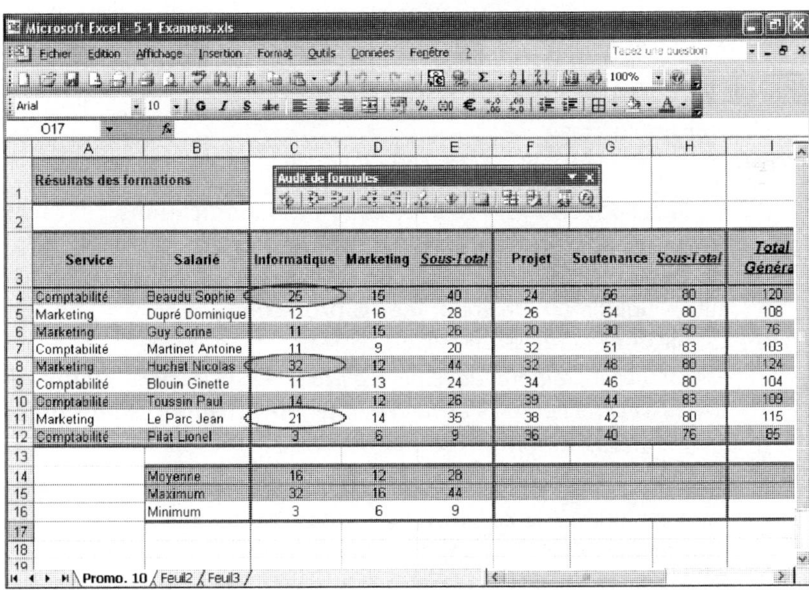

Résultats des formations

Service	Salarié	Informatique	Marketing	Sous-Total	Projet	Soutenance	Sous-Total	Total Généra
Comptabilité	Beaudu Sophie	25	15	40	24	56	80	120
Marketing	Dupré Dominique	12	16	28	26	54	80	108
Marketing	Guy Corine	11	15	26	20	30	50	76
Comptabilité	Martinet Antoine	11	9	20	32	51	83	103
Marketing	Huchet Nicolas	32	12	44	32	48	80	124
Comptabilité	Blouin Ginette	11	13	24	34	46	80	104
Comptabilité	Toussin Paul	14	12	26	39	44	83	109
Marketing	Le Parc Jean	21	14	35	38	42	80	115
Comptabilité	Pilat Lionel	3	6	9	36	40	76	85
	Moyenne	16	12	28				
	Maximum	32	16	44				
	Minimum	3	6	9				

Les notes doivent être comprises entre 0 et 20.

Partager un classeur

Un classeur partagé est un classeur sur lequel plusieurs personnes peuvent apporter des modifications en même temps. Ce classeur doit être stocké dans un dossier accessible à tous.
Avant de partager son classeur, l'auteur tiendra compte du fait que certaines fonctionnalités ne peuvent pas être modifiées une fois le classeur partagé. Il est donc conseillé de configurer ces fonctionnalités avant de partager le classeur (fusion de cellules, mise en forme conditionnelle, validation des données, graphiques, images, objets, liens hypertexte, scénarios, plans, sous-totaux, tableaux de données, tableau croisé dynamique, protection de classeur et de feuille de calcul et de macros).

Outils - Partager le classeur
Sélectionnez l'onglet **Modification**.

Cochez l'option **Permettre une modification multi-utilisateur**.
Cliquez sur le bouton **OK**.
Validez le message vous proposant d'enregistrer le document.

*Le nom du classeur suivi de **[Partagé]** apparaît dans la barre de titre.*

Protéger le partage d'un classeur

La protection du partage d'un classeur permet d'éviter qu'un utilisateur désactive les options de partage du document ou supprime l'historique des modifications. Cette protection s'effectue avant le partage du classeur.

Ouvrez le classeur non partagé.
Outils - Protection - Protéger et partager le classeur.

Cochez l'option **Partage avec suivi des modifications**.
Si vous le souhaitez, saisissez un **Mot de passe**.
Validez puis ressaisissez le mot de passe éventuel pour empêcher les autres utilisateurs de supprimer la protection.
Confirmez l'enregistrement du classeur.

*Le classeur est automatiquement partagé. Dans le menu **Outils - Partager le classeur**, l'option **Permettre une modification multi-utilisateur** de l'onglet **Modification** n'est plus accessible.*

Pour désactiver la protection de partage et également le partage du classeur, utilisez la commande **Outils - Protection - Ôter la protection de partage** et si besoin, saisissez le mot de passe puis confirmez le message proposant de retirer le classeur du partage.

Partager un classeur

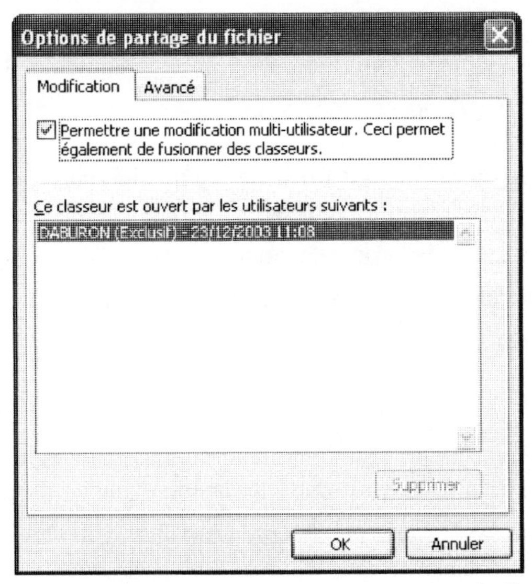

Par défaut, le classeur est toujours ouvert en mode Exclusif.

Protéger le partage d'un classeur

Rappelons que la saisie du mot de passe n'est possible qu'avant le partage du classeur.

Modifier un classeur partagé

Ouvrez le classeur partagé.

*Le nom du classeur suivi de **[Partagé]** apparaît dans la barre de titre.*

Outils - **Options** - onglet **Général**

Saisissez votre **Nom d'utilisateur** dans le champ correspondant afin que les modifications que vous allez apporter au classeur soient identifiées.

Cliquez sur le bouton **OK** pour valider.

Saisissez ou modifiez les données souhaitées.

Rappelons que certaines modifications ne peuvent pas être effectuées lorsqu'un classeur est partagé.

Définissez, si besoin, vos paramètres de filtre et d'impression souhaités pour votre utilisation personnelle. Car, par défaut, les paramètres de chaque utilisateur sont enregistrés individuellement.

*Pour que les paramètres de filtre ou d'impression créés par l'auteur d'origine soient activés à chaque ouverture du classeur, utilisez le menu **Outils - Partager le classeur** - onglet **Avancé** puis décochez les options **Paramètres d'impression** et/ou **Paramètres du filtre** situées dans la zone **Inclure dans une vue personnelle**.*

Enregistrez à l'aide du menu **Fichier - Enregistrer**, le classeur partagé pour effectuer une mise à jour avec les modifications que vous venez d'apporter et afficher celles que d'autres utilisateurs ont enregistrées depuis votre dernier enregistrement.

*Si la boîte de dialogue **Résolution des conflits** s'affiche, solutionnez les problèmes (cf. Résoudre les conflits de modification).*

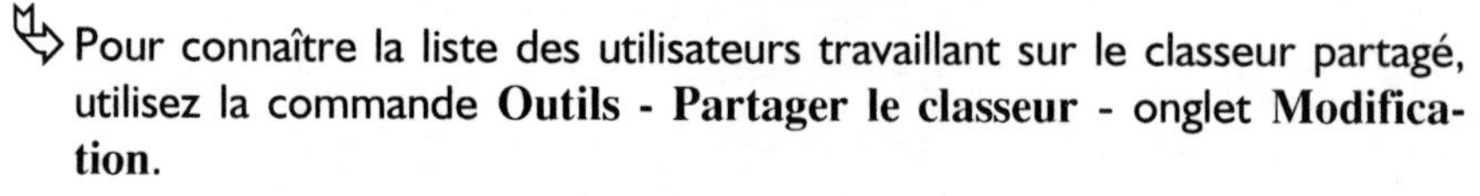

Pour connaître la liste des utilisateurs travaillant sur le classeur partagé, utilisez la commande **Outils - Partager le classeur** - onglet **Modification**.

Si vous préférez que les modifications des autres utilisateurs soient mises à jour à intervalle régulier plutôt qu'à chaque enregistrement, dans le menu **Outils - Partager le classeur** - onglet **Avancé** - zone **Mise à jour des modifications**, cochez l'option **Automatiquement toutes les**, puis indiquez l'intervalle de temps en minutes. Cette option peut être modifiée indépendamment par chaque utilisateur.

Modifier un classeur partagé

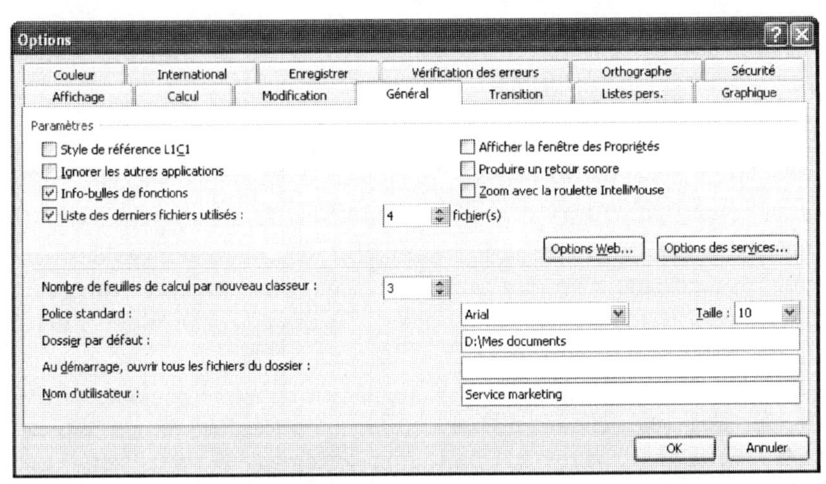

Le ***Nom d'utilisateur*** *sera associé au classeur actif ainsi qu'à tous les nouveaux classeurs Excel.*

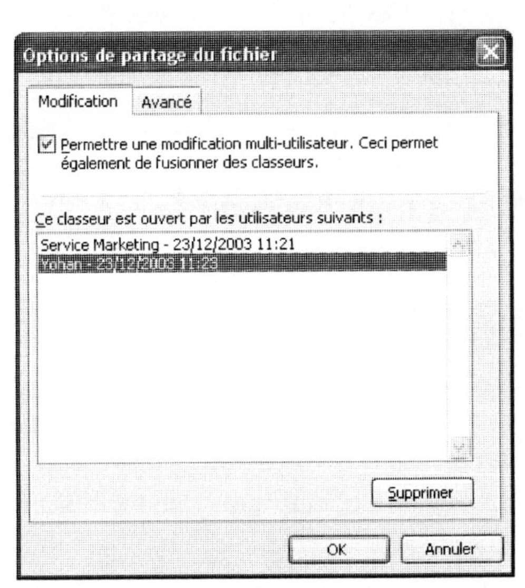

Excel affiche le nom des utilisateurs ainsi que la date et l'heure d'ouverture du classeur.

Résoudre les conflits de modification

Si, lorsque vous enregistrez vos modifications, il y a conflit avec les modifications d'un autre utilisateur (modifications apportées à la même cellule), un message apparaît pour vous permettre de choisir quelle modification il faut appliquer et enregistrer.

Excel passe en revue toutes les modifications sujettes à conflit. Cliquez sur **Accepter la mienne** pour valider votre modification. Cliquez sur **Accepter l'autre** pour valider la modification d'un autre utilisateur.

Cliquez sur **Accepter toutes les miennes** pour valider toutes vos modifications en une seule fois. Cliquez sur **Accepter toutes les autres** pour valider toutes les modifications des autres utilisateurs en une seule fois.

Si vous souhaitez que vos modifications soient toujours prioritaires et donc éviter ainsi la boîte de dialogue de **Résolution des conflits**, cochez l'option **Conserver celles déjà enregistrées** de la zone **En cas de modifications contradictoires** du menu **Outils - Partager le classeur** - onglet **Avancé**.
Pour voir comment les conflits antérieurs ont été résolus, utilisez le menu **Outils - Suivi des modifications - Afficher les modifications**. Ouvrez la liste déroulante **Le** puis cliquez sur l'option **Tous**. Décochez les options **Par** et **Dans**. Cochez l'option **Lister les modifications dans une autre feuille** puis validez par le bouton **OK**.

Supprimer le partage d'un classeur

Outils - Partager le classeur

Sélectionnez l'onglet **Modification**.

Vérifiez que vous êtes bien le seul utilisateur. Dans le cas contraire, les autres utilisateurs de la liste perdraient le travail qui n'a pas été enregistré.

Décochez l'option **Permettre une modification multi-utilisateur**.

Cliquez sur **OK**.

Validez le message vous proposant de rendre exclusif l'usage du classeur.

Résoudre les conflits de modification

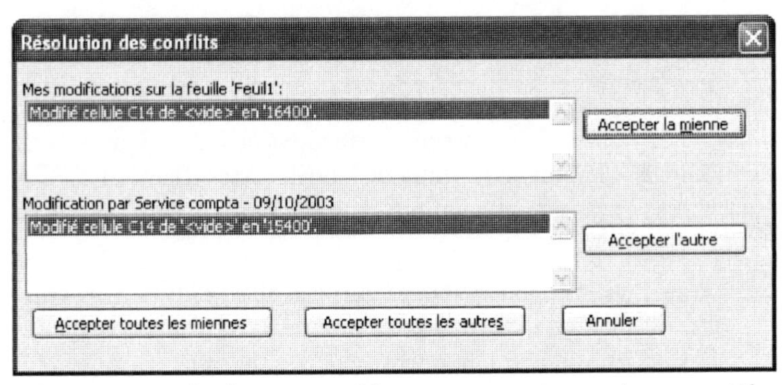

Le premier cadre liste vos modifications apportées au classeur actif, et le second cadre présente les modifications apportées par d'autres utilisateurs.

Supprimer le partage d'un classeur

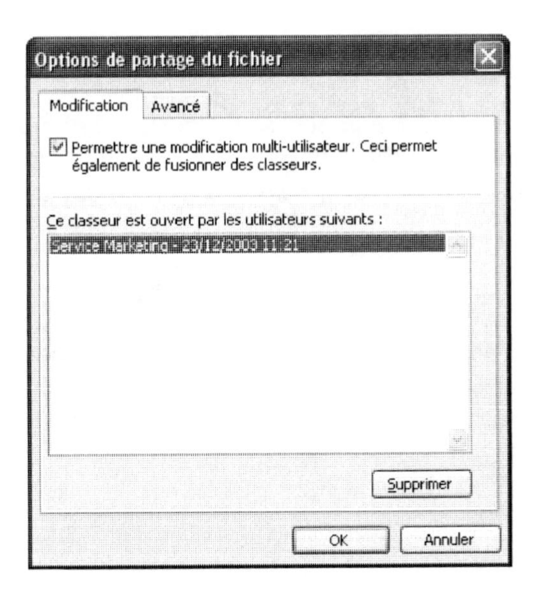

Copier un classeur partagé

Vous pouvez faire des copies d'un classeur partagé. Chaque utilisateur pourra indépendamment modifier sa copie. Les copies seront ensuite fusionnées afin de n'avoir plus qu'un seul fichier.

Avant d'effectuer des copies d'un classeur partagé, vous devez le préparer. Pour cela, utilisez le menu **Outils - Partager le classeur** - onglet **Modification**

Cochez l'option **Permettre une modification multi-utilisateur.**

Cliquez sur l'onglet **Avancé**. Vérifiez que l'option **Survenues au cours des** est active et précisez le nombre de jours pendant lesquels les utilisateurs pourront apporter des modifications et des commentaires aux copies des classeurs partagés.

Vous ne pourrez plus effectuer de fusion si la durée de révision est dépassée.

Cliquez sur le bouton **OK**.

Pour copier le classeur, utilisez la commande **Fichier - Enregistrer sous** en attribuant un nom différent à chaque copie.

Fusionner les copies d'un classeur partagé

Ouvrez le classeur dans lequel vous souhaitez effectuer la fusion. Vérifiez également que le délai est respecté (**Outils - Partager le classeur** - onglet **Avancé**. Vérifiez l'option **Survenues au cours des** de la zone **Suivi des modifications**).

Outils - Comparaison et fusion de classeurs

Si besoin, confirmez l'enregistrement du classeur actif.

Dans la boîte de dialogue **Sélectionner les fichiers à fusionner dans le classeur en cours**, sélectionnez le ou les classeurs dont les modifications sont à fusionner.

Cliquez sur le bouton **OK** pour lancer la fusion.

Copier un classeur partagé

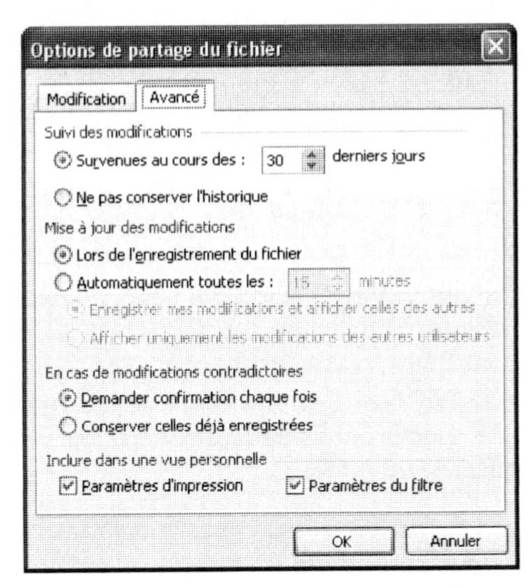

Attention, si un document est souvent modifié, ne gardez pas trop longtemps les modifications successives au risque d'alourdir fortement le document.

Fusionner les copies d'un classeur partagé

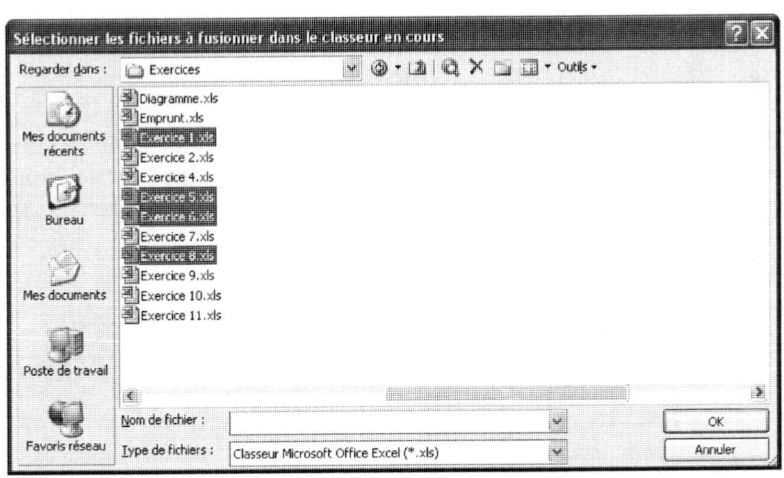

Pour sélectionner plusieurs fichiers, utilisez la touche Shift *pour une sélection continue, ou la touche* Ctrl *pour une sélection discontinue.*

Afficher les modifications d'un classeur partagé

Ouvrez le classeur partagé.

Outils - Suivi des modifications - Afficher les modifications

↳ Cochez l'option **Suivre les modifications au fur et à mesure**. Sélectionnez le type de modifications que vous souhaitez suivre dans la zone **Afficher les modifications apportées** : soit, en choisissant **Le**, par rapport à la date de modification, soit en choisissant **Par**, en rapport avec l'utilisateur qui a effectué les modifications, soit en choisissant **Dans**, par rapport aux cellules modifiées.
Cochez l'option **Afficher les modifications à l'écran** pour visualiser les modifications par un surlignage des cellules concernées et l'option **Lister les modifications dans une autre feuille** pour qu'Excel inscrive une liste des modifications dans une autre feuille nommée **Historique**.
Cliquez sur le bouton **OK**.

Par défaut l'historique du suivi des modifications est conservé pendant 30 jours ; vous pouvez modifier cette valeur en modifiant le nombre de jours dans **Outils - Partager le classeur** - onglet **Avancé** - option **Survenues au cours des...**

Accepter/refuser les modifications d'un classeur partagé

Ouvrez le classeur partagé.

Outils - Suivi des modifications - Accepter ou refuser les modifications

Si Excel vous propose d'enregistrer le classeur, cliquez sur le bouton **OK**.

Dans la boîte de dialogue **Sélection des modifications à accepter ou refuser**, sélectionnez le type de modifications que vous souhaitez suivre dans la zone **Modifications apportées** : soit, en choisissant **Le**, par rapport à la date de modification, soit en choisissant **Par**, en rapport avec l'utilisateur qui a effectué les modifications, soit en choisissant **Dans**, par rapport aux cellules modifiées.

Cliquez sur le bouton **OK**.

↳ La boîte de dialogue **Accepter ou refuser les modifications** passe en revue les diverses modifications apportées au classeur. Cliquez sur le bouton **Accepter** pour valider une modification ou sur le bouton **Refuser** pour l'annuler, sur **Accepter tout** pour valider toutes les modifications apportées au classeur ou sur **Refuser tout** pour toutes les annuler.
Cliquez sur **Fermer** quand vous avez tout passé en revue.

Afficher les modifications d'un classeur partagé

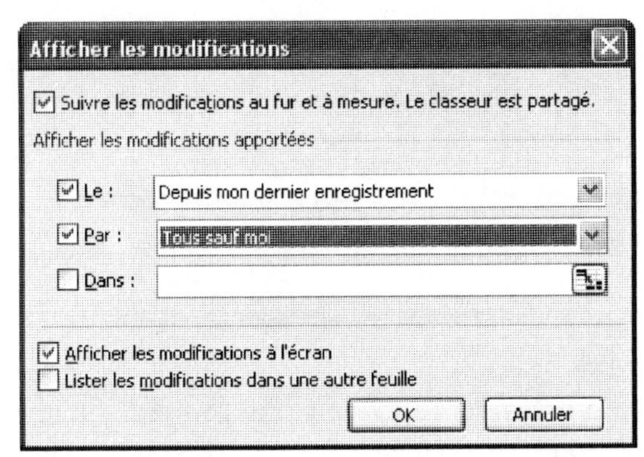

*Si aucune des trois options de la zone **Afficher les modifications apportées** n'est active, Excel surligne toutes les modifications apportées au classeur partagé (les vôtres et celles des autres utilisateurs).*

Accepter/refuser les modifications d'un classeur partagé

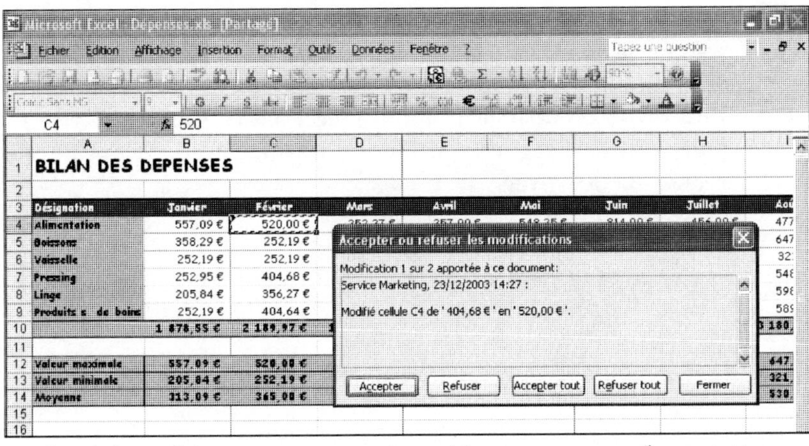

La ou les cellules concernées par la modification en cours d'acceptation apparaît entourée.

Envoyer un fichier pour révision

Cette commande permet d'envoyer à un ou plusieurs destinataires soit un lien à un classeur (enregistré sur le réseau) soit une copie d'un classeur, afin qu'il puisse réviser ce dernier. Cette commande n'est disponible que si vous disposez d'Outlook version 2002 ou ultérieure, ou Outlook Express 6.

Ouvrez le classeur que vous souhaitez envoyer pour révision.

Fichier - Envoyer vers - Destinataire du message (pour révision)

Si le classeur est stocké sur un réseau, le message électronique contient un lien vers le fichier à réviser.

Si le classeur que vous voulez envoyer pour révision est enregistré sur votre disque dur, Excel affiche un message vous proposant d'enregistrer une version partagé du classeur. Si vous désirez suivre les modifications ou fusionner ce classeur, cliquez sur **Oui** puis enregistrez la copie à l'endroit désiré sinon cliquez sur **Non**.

Dans les zones **À** et **Cc** indiquez le ou les destinataires principaux et en copie.

Modifiez si besoin, le texte de la zone **Objet** ainsi que le texte du corps du message (partie inférieure de la fenêtre).

Cliquez sur le bouton **Envoyer**.

Le destinataire reçoit un message contenant, selon les options choisies lors de l'envoi, une pièce jointe correspondant au classeur et/ou un lien vers le classeur (situé sur le réseau). Le destinataire a la possibilité après avoir apporté les modifications à la pièce jointe, de renvoyer le classeur ainsi révisé en utilisant la commande **Fichier - Envoyer vers - Expéditeur initial**, d'apporter si besoin, les modifications au message et de cliquer sur **Envoyer**.

Envoyer un fichier pour révision

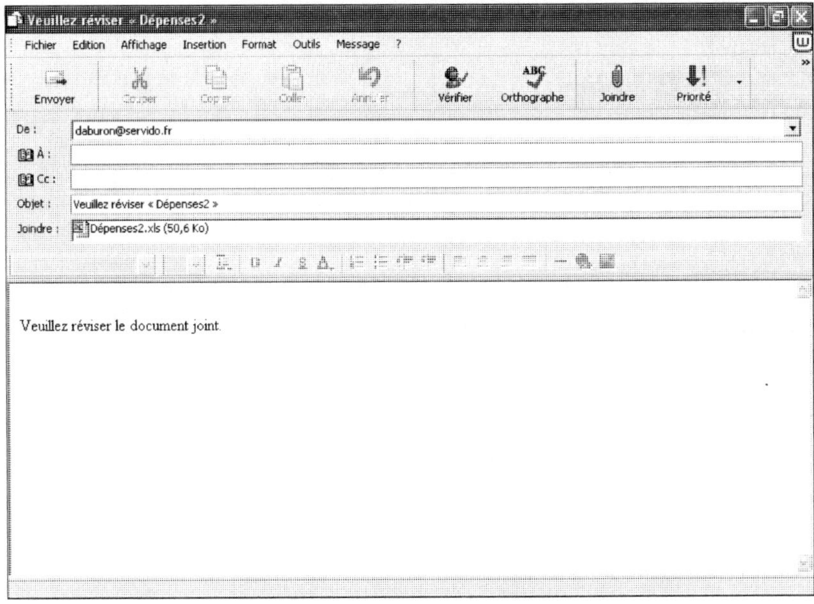

L'objet et le message sont créés automatiquement par Office mais peuvent être modifiés.

NOTES PERSONNELLES

Chapitre 6

FONCTIONS AVANCÉES DIVERSES

Créer et utiliser un lien hypertexte vers un fichier existant

Cliquez sur la cellule ou le graphique qui doit représenter le lien hypertexte puis utilisez la commande **Insertion - Lien hypertexte** ou [icône] ou Ctrl **K**.

Cliquez sur l'option **Fichier ou page Web existant(e)** dans la partie gauche de la boîte de dialogue.

Selon le type de document vers lequel vous souhaitez créer un lien, cliquez sur le bouton **Dossier en cours**, **Pages parcourues** ou **Fichiers récents** puis sélectionnez le fichier cible du lien.

*Vous pouvez également saisir dans le champ correspondant l'**Adresse** complète du document vers lequel vous créez le lien.*

Cliquez, si vous le souhaitez, sur le bouton **Info-bulle** puis saisissez le texte que vous souhaitez afficher (dans une info-bulle) lorsque le pointeur se trouvera sur le lien hypertexte. Validez par **OK**.

Si vous ne saisissez aucun texte, Excel affichera l'adresse complète du nouveau document dans l'info-bulle du lien.

Cliquez sur le bouton **OK** pour valider la création du lien.

Pour ouvrir le document associé au lien, faites un simple clic sur le lien.

Un message d'alerte vous demande d'être prudent quant à l'utilisation de certains liens hypertexte. Si le lien est de source fiable, cliquez sur le bouton **Oui** sinon cliquez sur **Non**.

Pour revenir au document de départ, cliquez sur le nom correspondant dans le menu **Fenêtre** ou sur la barre des tâches s'il est visible.

Créer un lien vers un emplacement spécifique du classeur

Cliquez sur le raccourci **Emplacement dans ce document** situé dans le volet emplacement (gauche de la boîte de dialogue).

Dans la liste **Ou sélectionnez un emplacement dans ce document**, cliquez sur le nom de la feuille ou sur le nom défini vers lequel vous souhaitez créer un lien.

Tapez la référence de la cellule concernée par le lien dans la zone de saisie correspondante.

Cliquez, si nécessaire, sur le bouton **Info-bulle** puis saisissez le **Texte à afficher** lorsque le lien sera pointé. Validez la saisie par le bouton **OK**.

Cliquez sur le bouton **OK** pour créer le lien.

Créer et utiliser un lien hypertexte vers un fichier existant

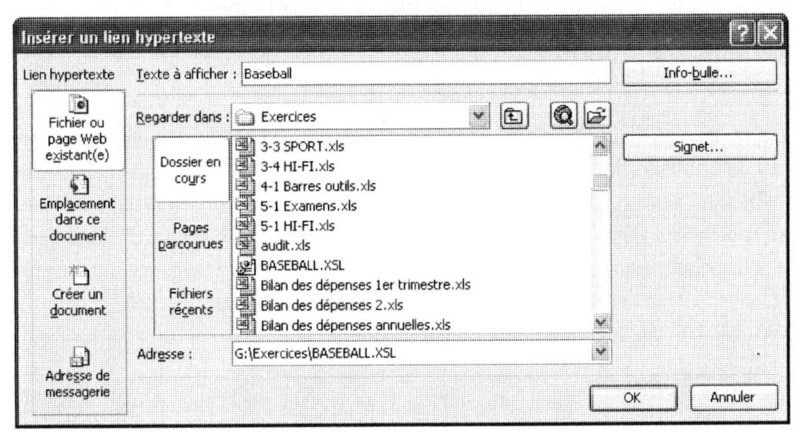

*Le **Texte à afficher** dans l'info-bulle associée au lien hypertexte apparaît en haut de la boîte de dialogue.*

Créer un lien vers un emplacement spécifique du classeur

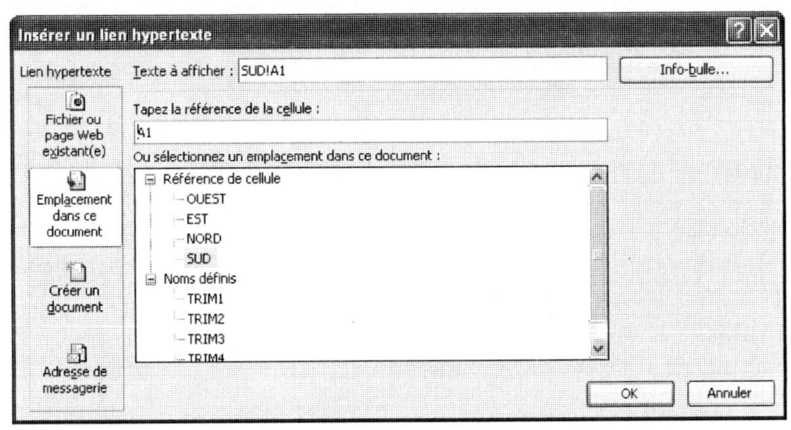

La liste des feuilles existantes et les noms définis dans le classeur actif apparaissent dans la partie centrale de la boîte de dialogue.

Modifier/supprimer un lien hypertexte

Pour modifier sa destination, cliquez et maintenez le bouton de la souris enfoncé pendant quelques instants sur la cellule contenant le lien afin de le sélectionner.

Utilisez la commande **Insertion - Lien hypertexte** ou [icône] ou Ctrl **K** puis apportez les modifications nécessaires et validez.

Pour suprimer un lien hypertexte, sélectionnez la cellule contenant le lien puis appuyez sur la touche Suppr.

Pour modifier l'affichage du texte, sélectionnez la cellule contenant le lien. Saisissez le nouveau texte ou apportez les modifications nécessaires directement dans la barre de formule. Validez par la touche Entrée.

Pour modifier l'apparence du texte, sélectionnez la cellule contenant un lien puis utilisez le menu **Format - Style**.

Pour modifier l'apparence de tous les liens du classeur actif n'ayant pas été activés, ouvrez la liste déroulante du champ **Nom du style** puis cliquez sur l'option **Lien hypertexte** ou choisissez l'option **Lien hypertexte visité** pour modifier l'apparence des liens ayant déjà été activés. Cliquez sur le bouton **Modifier** pour modifier les paramètres de mise en forme selon votre choix puis cliquez sur le bouton **OK**.

Décochez ou cochez selon votre choix les cases d'options du cadre **Le style inclut**.

Cliquez sur le bouton **Ajouter** puis sur le bouton **Fermer**.

Pour modifier individuellement l'aspect d'une cellule contenant un lien hypertexte, utilisez les options de la barre d'outils **Mise en forme** ou **Format - Cellule**.

Désactiver la conversion des adresses en lien

Cette fonctionnalité permet de ne pas transformer une adresse e-mail en lien hypertexte. L'adresse est considérée comme un texte ordinaire, Excel ne lui affecte pas la couleur bleue ni le soulignement.

Outils - Options de correction automatique

Cliquez sur l'onglet **Mise en forme automatique au cours de la frappe**.

Décochez l'option **Adresses Internet et réseau avec des liens hypertexte** puis cliquez sur le bouton **OK** pour valider.

Modifier/supprimer un lien hypertexte

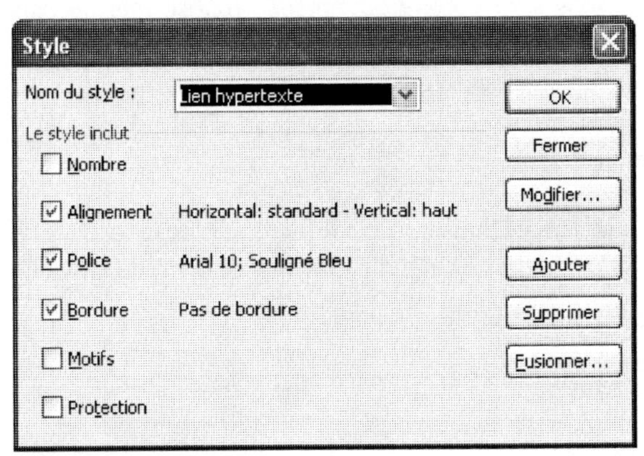

*Le style **Lien hypertexte** ne s'affiche dans la zone **Nom du style** que si vous avez auparavant créé un lien hypertexte dans le classeur. Le style **Lien hypertexte visité** ne s'affiche que si vous avez utilisé un lien hypertexte dans le classeur pour atteindre un autre fichier.*

Désactiver la conversion des adresses en lien

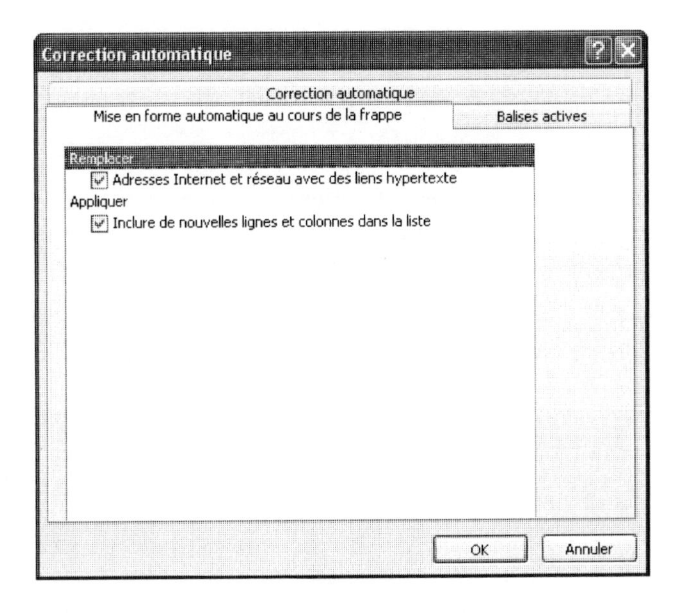

Définir le dossier de travail proposé par défaut

Ce dossier de travail vous sera automatiquement proposé lors de l'enregistrement ou lors de l'ouverture d'un classeur.

Outils - Options

Cliquez sur l'onglet **Général**.

Dans la zone **Dossier par défaut**, saisissez le chemin d'accès au dossier que vous souhaitez définir comme dossier de travail par défaut.

Cliquez sur **OK** pour valider.

Ajouter/supprimer un raccourci dans la barre Mon environnement

La barre ***Mon environnement*** *peut stocker des raccourcis vers les dossiers à usage fréquent. Elle est commune à plusieurs boîtes de dialogue* ***Ouvrir, Enregistrer sous, Insérer une image****.*

Fichier - Ouvrir ou ou Ctrl **O**

Pour ajouter un dossier dans la barre **Mon environnement**, ouvrez la liste **Regarder dans** puis cliquez sur le lecteur, le dossier ou l'emplacement Internet du dossier vers lequel vous allez créer le raccourci afin de le sélectionner.

Cliquez sur le bouton **Outils** puis sur l'option **Ajouter à "Mon environnement"**.

Le raccourci est aussitôt inséré dans la barre ***Mon environnement****.*

Pour utiliser le raccourci, ouvrez la boîte de dialogue contenant la barre **Mon environnement** (**Ouvrir**, **Enregistrer sous** ou **Insérer une image**).

Cliquez sur le nom du dossier souhaité.

Définir le dossier de travail proposé par défaut

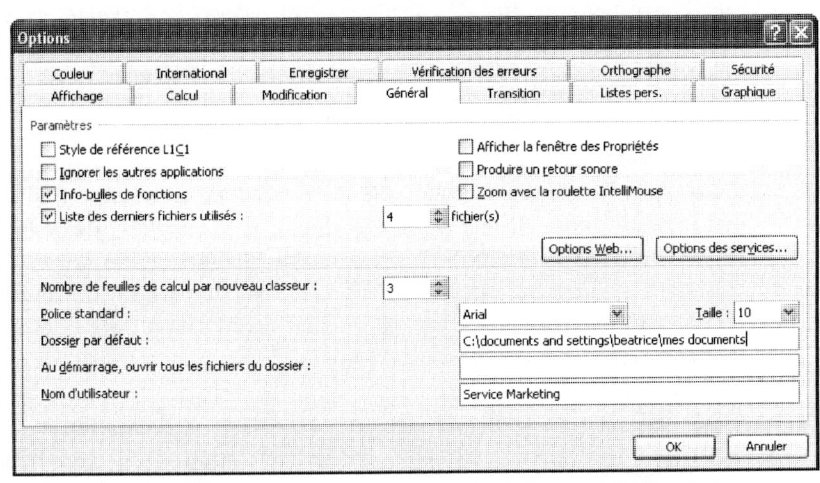

Attention à respecter précisément l'adresse du dossier.

Ajouter/supprimer un raccourci dans la barre Mon environnement

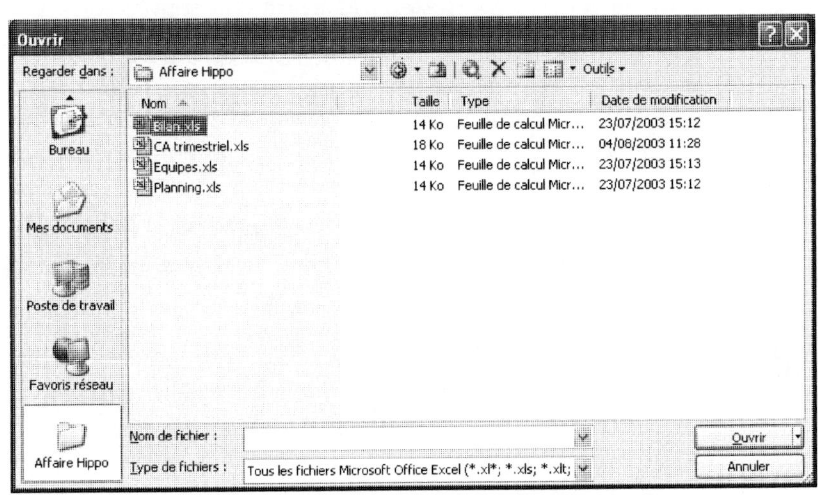

*Dans notre exemple, le contenu du dossier **Affaire Hippo** est ainsi directement accessible.*

Effectuer une recherche de base de fichiers/éléments

Les données recherchées peuvent être des fichiers Excel, Word, PowerPoint, Access, des éléments Outlook ou encore des pages Web.

Fichier - Recherche de fichiers

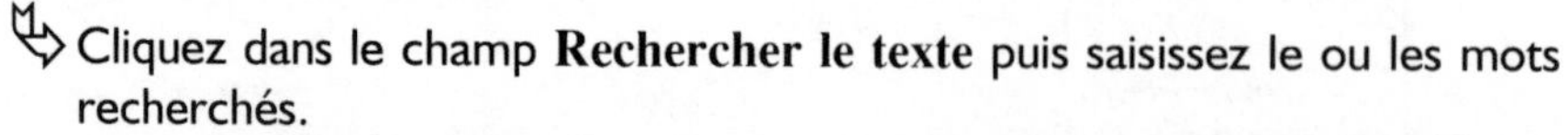

Cliquez dans le champ **Rechercher le texte** puis saisissez le ou les mots recherchés.

Pour spécifier l'emplacement de la recherche, développez la zone de liste **Rechercher dans** : le signe plus [+] permet de développer l'arborescence tandis que le signe moins [−] permet de la réduire ; un clic dans une case à cocher permet de sélectionner ou de désélectionner le dossier (ou l'unité) correspondant, alors qu'un double clic permet de sélectionner ou de désélectionner le dossier correspondant ainsi que ses sous-dossiers.

Pour spécifier les types de fichiers recherchés, développez la liste **Les résultats devraient être** puis cochez les options correspondant aux éléments que vous souhaitez rechercher.

Cliquez sur le bouton **OK**.

*La liste des éléments trouvés apparaît au fur et à mesure dans le volet Office **Résultats de la recherche**.*

Pour interrompre la recherche en cours, cliquez sur le bouton **Arrêter** visible dans la partie inférieure du volet.

Pour ouvrir un élément trouvé, cliquez sur son nom.

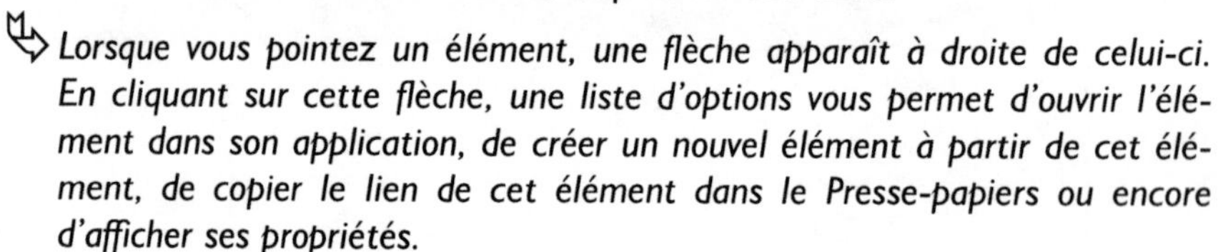

Lorsque vous pointez un élément, une flèche apparaît à droite de celui-ci. En cliquant sur cette flèche, une liste d'options vous permet d'ouvrir l'élément dans son application, de créer un nouvel élément à partir de cet élément, de copier le lien de cet élément dans le Presse-papiers ou encore d'afficher ses propriétés.

Pour effectuer une nouvelle recherche, cliquez sur le bouton **Modifier**.

Lorsque vos recherches sont terminées, fermez si besoin est, le volet Office en cliquant sur le bouton [×].

Vous pouvez retrouver les options du volet Office **Recherche de fichiers simple** dans l'onglet **Bases** de la boîte de dialogue **Rechercher** (**Fichier - Ouvrir** - bouton **Outils** puis l'option **Rechercher**).

Effectuer une recherche de base de fichiers/éléments

*Le chemin complet de l'emplacement de la recherche peut aussi être saisi directement dans la zone de liste **Rechercher dans**.*

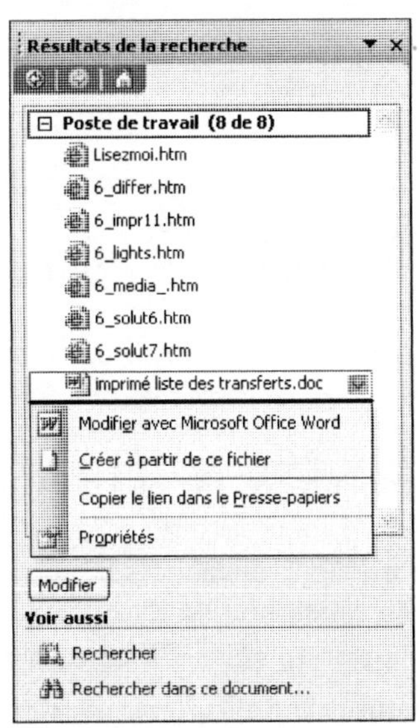

Le résultat de la recherche peut être composé de fichiers, de pages Web ou d'éléments Outlook.

Effectuer une recherche avancée de fichiers/éléments

Comme pour une recherche de base, les données recherchées peuvent être des fichiers réalisés avec les applications Office, des éléments Outlook ou encore des pages Web. Mais la recherche s'effectue suivant un ou plusieurs critères.

Fichier - Recherche de fichiers

Cliquez sur le lien **Recherche de fichiers avancée** situé dans la partie inférieure du volet **Recherche de fichiers simple.**

Pour chaque critère de recherche à poser :

- Ouvrez la liste **Propriété** puis sélectionnez la rubrique concernée par la recherche.
- Précisez la **Condition** de recherche dans la liste correspondante.
- Si besoin, saisissez la **Valeur** de comparaison.
- Cliquez sur le bouton **Ajouter**.
- S'il n'y a pas d'autres conditions, cliquez sur le bouton **OK**.
- S'il y a une autre condition, activez l'option **Et** si les critères doivent être vérifiés simultanément ou l'option **Ou** si l'un ou l'autre des critères doit être vérifié.

De la même façon que pour la recherche de base (cf. titre précédent), indiquez l'emplacement de la recherche dans la zone de liste **Rechercher dans** et le type d'éléments à chercher dans la zone de liste **Les résultats devraient être.**

Cliquez sur le bouton **OK.**

*La liste des éléments trouvés apparaît au fur et à mesure dans le volet Office **Résultats de la recherche**.*

Si l'application Windows Messenger est active et selon les paramètres de recherche définis, il est possible que Excel vous demande de vous identifier à l'aide de votre passeport Microsoft afin que la recherche puisse se poursuivre. Dans ce cas, saisissez votre adresse électronique et votre mot de passe Passport.

Pour interrompre la recherche en cours, cliquez sur le bouton **Arrêter** visible dans la partie inférieure du volet.

Pour ouvrir un élément ou effectuer une nouvelle recherche, procédez comme pour une recherche de base (cf. titre précédent).

Fermez, si besoin est, le volet Office en cliquant sur le bouton ☒.

Le bouton **Restaurer** de la fenêtre **Recherche de fichiers avancée** permet d'afficher les critères de recherche définis précédemment.

Effectuer une recherche avancée de fichiers/éléments

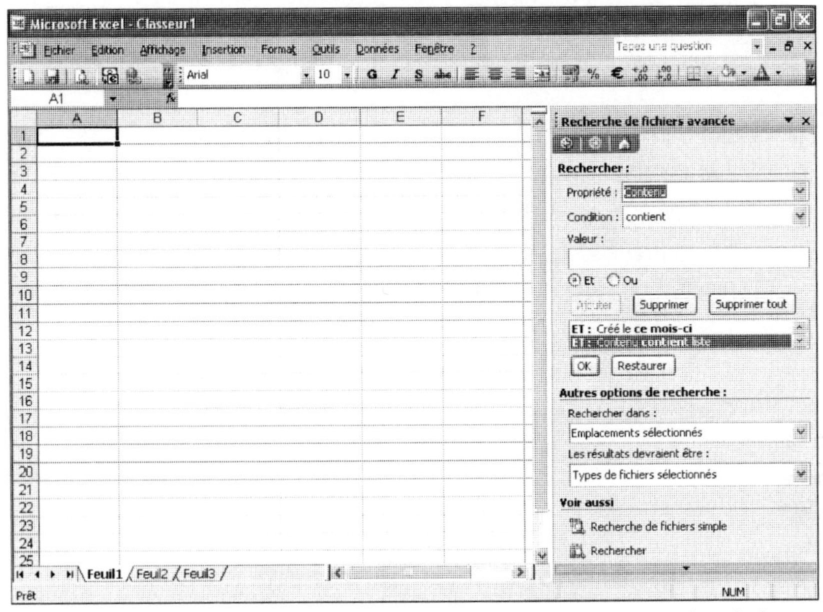

Le bouton ***Supprimer*** *permet de supprimer le critère sélectionné dans la liste, tandis que le bouton* ***Supprimer tout*** *permet de supprimer tous les critères de la liste.*

Nommer des cellules (première méthode)

Vous pouvez faire référence à la plage de cellules par l'intermédiaire de son nom.

Sélectionnez les cellules qui doivent porter un même nom.

Insertion - Nom - Définir ou Ctrl F3

Au besoin, modifiez le nom proposé.

Les espaces et les traits d'union sont absolument interdits dans ces noms !

Le bouton permet de réduire la boîte de dialogue afin de modifier la plage de cellules associée à son nom.

Cliquez sur le bouton **Ajouter**.

Définissez de la même façon d'autres noms de cellules.

Cliquez sur le bouton **Fermer**.

Nommer des cellules (deuxième méthode)

Cette méthode suppose que les noms à attribuer existent dans la feuille de calcul.

Sélectionnez les cellules qui contiennent les noms à attribuer et les cellules à nommer.

Insertion - Nom - Créer ou Ctrl Shift F3

Indiquez où se trouvent les cellules qui contiennent les noms à attribuer.

Cliquez sur le bouton **OK** pour valider.

Excel convertit les traits d'union et les espaces en traits de soulignement.

Nommer des cellules (première méthode)

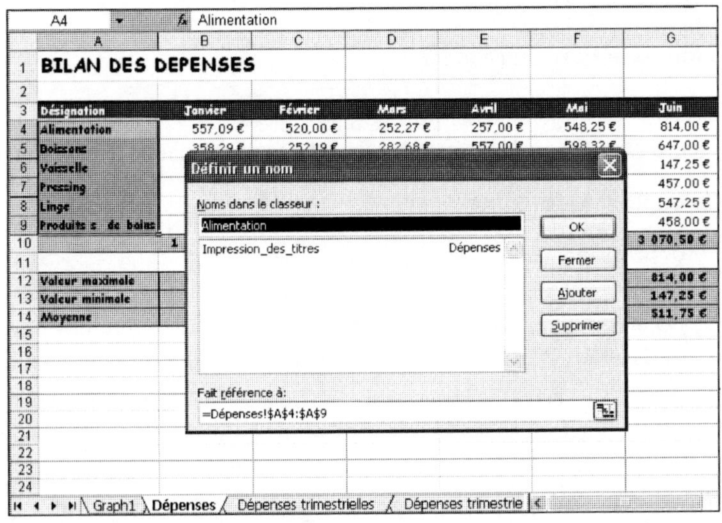

Excel propose comme nom le contenu de la cellule située en haut à gauche de la sélection.

Nommer des cellules (deuxième méthode)

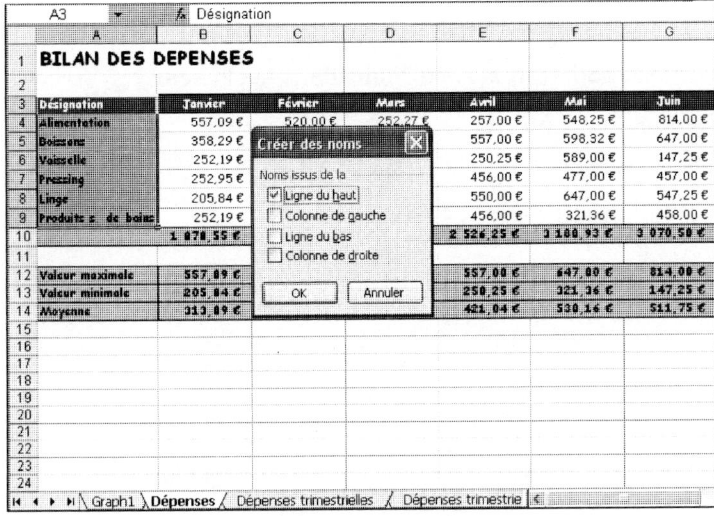

Les cellules sélectionnées (A4 à A9) vont être nommées selon le contenu de la cellule A3.

Modifier la plage de cellules associée à un nom

Sélectionnez la nouvelle plage de cellules concernée.

Insertion - Nom - Définir ou Ctrl F3

Ressaisissez le nom.

Attention, il faut bien ressaisir le nom et pas le sélectionner dans la liste des noms.

Cliquez sur le bouton **Ajouter**.

Cliquez sur le bouton **OK**.

Pour modifier la plage de cellules associée à un nom, vous pouvez également, dans la boîte de dialogue **Définir un nom**, sélectionner le nom concerné, cliquer sur le bouton associé au champ **Fait référence à** puis sélectionner la nouvelle plage de cellules.

Modifier le nom d'une plage de cellules

Insertion - Nom - Définir ou Ctrl F3

Sélectionnez dans la liste le nom concerné.

Saisissez le nouveau nom dans la zone **Noms dans le classeur**.

Cliquez sur le bouton **Ajouter**.

Cette manipulation ne supprime pas l'ancien nom.

Cliquez sur le bouton **OK**.

Modifier la plage de cellules associée à un nom

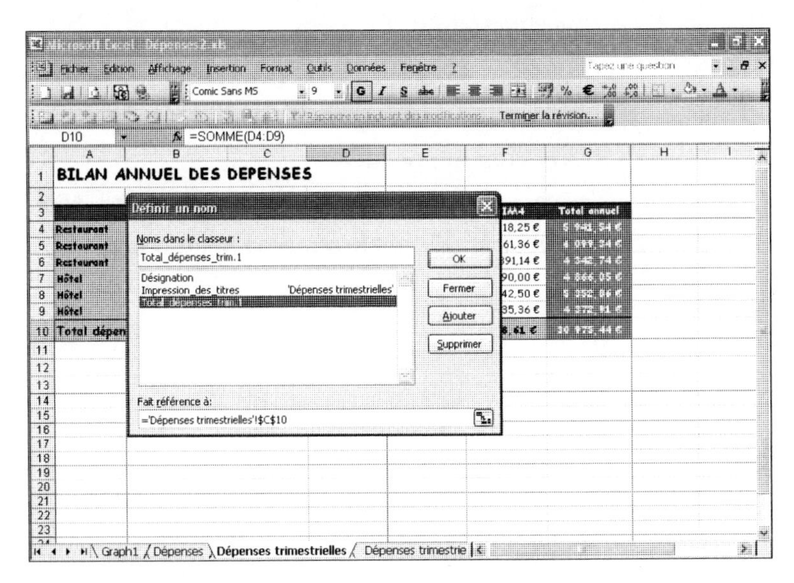

Modifier le nom d'une plage de cellules

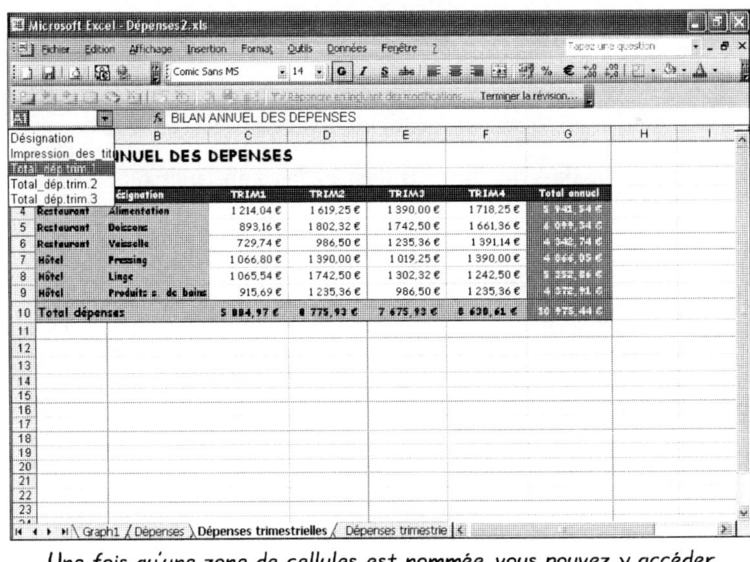

Une fois qu'une zone de cellules est nommée, vous pouvez y accéder rapidement à partir de la barre de formules.

Supprimer un nom

Accédez à la boîte de dialogue **Définir un nom** par **Insertion - Nom - Définir** ou Ctrl F3.

Sélectionnez le nom à supprimer.

Cliquez sur le bouton **Supprimer**.

La suppression est immédiate, Excel ne demande aucune confirmation.

Cliquez sur le bouton **OK** pour fermer la boîte de dialogue **Définir un nom.**

Afficher la liste des noms et des références de cellules associées

Cette technique permet d'afficher dans une feuille de calcul, la liste de tous les noms du classeur dans une première colonne et les références de cellules dans la colonne suivante.

Activez la cellule à partir de laquelle vous désirez faire apparaître la liste des noms.

Insertion - Nom - Coller

Cliquez sur le bouton **Coller une liste**.

Supprimer un nom

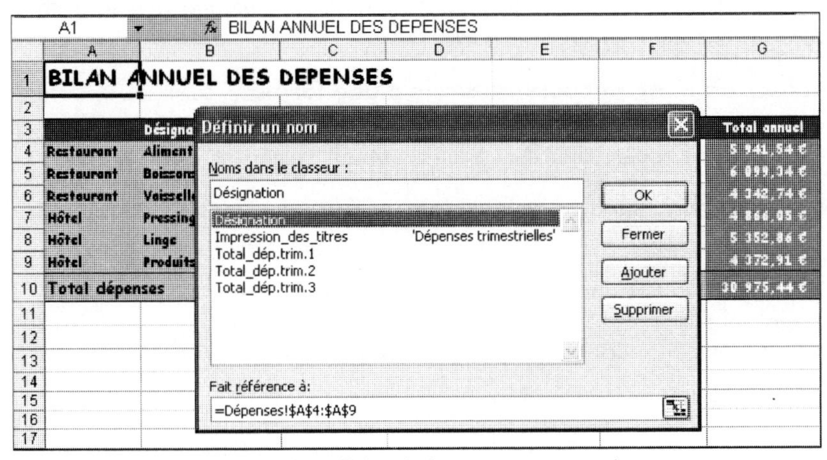

*Les références de cellules de la zone nommée sélectionnée apparaissent dans la zone **Fait référence à**.*

Afficher la liste des noms et des références de cellules associées

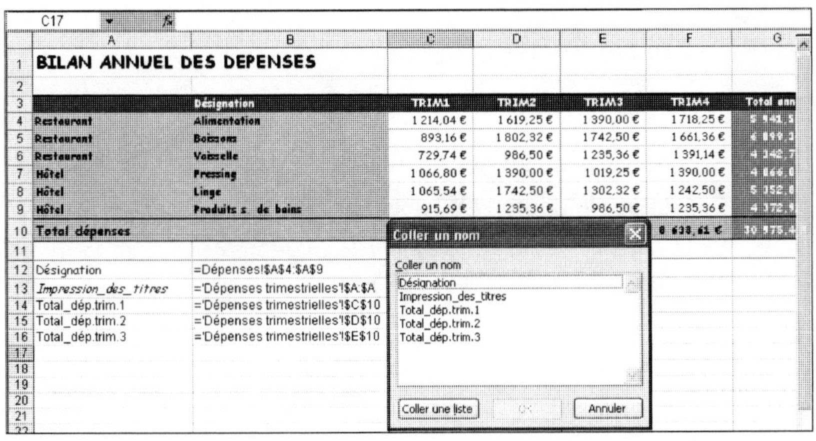

*Si vous ne sélectionnez qu'un nom et si vous cliquez sur **OK**, vous n'aurez que le nom et la référence de la cellule sélectionnée dans la liste.*

Utiliser un nom dans une formule

Cette fonctionnalité permet de remplacer dans un argument une référence de plages de cellules par la zone nommée correspondante.

Pour utiliser un nom en cours de saisie d'une formule, saisissez le nom à la place des références de cellules. Exemple : la formule =SOMME(quantités) calcule la somme des cellules appartenant à la zone nommée "quantités".

Pour coller un nom, saisissez la formule et arrêtez-vous lorsque vous avez besoin du nom.

Insertion - Nom - Coller ou F3

Faites un double clic sur le nom que vous souhaitez utiliser.

Terminez la formule.

Remplacer des références de cellules par leur nom

Cette manipulation permet de modifier les formules afin d'y remplacer les références de cellules par le nom correspondant.

Sélectionnez la cellule contenant la formule à modifier.

Insertion - Nom - Appliquer

Cliquez sur le ou les noms à utiliser.

Cliquez sur le bouton **OK** pour valider.

Excel remplace automatiquement la plage de cellules de la formule par le nom choisi, à condition bien sûr qu'ils se correspondent.

Utiliser un nom dans une formule

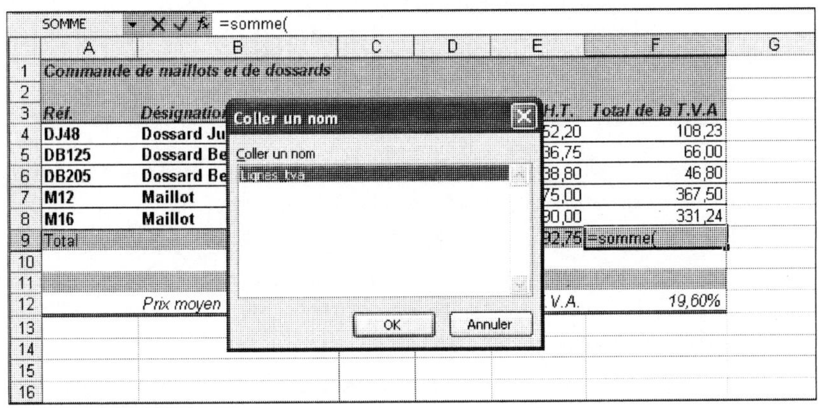

*Le nom **Lignes_tva** va apparaître dans la formule de la cellule **F9**.*

Remplacer des références de cellules par leur nom

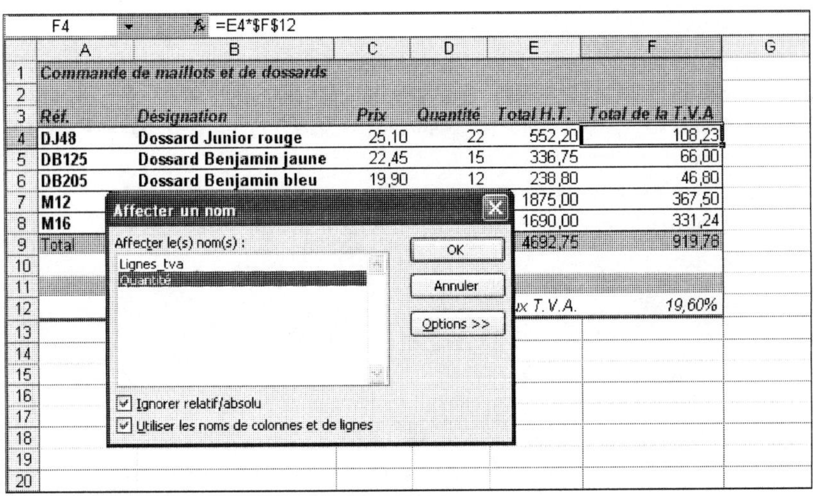

La liste de tous les noms créés dans le classeur est proposée.

Créer un format personnalisé

Sélectionnez les cellules concernées par ce format.

Format - Cellule ou Ctrl Shift **1** (clavier alphanumérique)

Activez l'onglet **Nombre**.

Activez la **Catégorie** : **Personnalisée**, puis saisissez ou complétez le format personnalisé dans la zone **Type**.

Un format personnalisé peut être composé de quatre sections, séparés par des points-virgules, définissant dans l'ordre : le format des nombres positifs, le format des nombres négatifs, le format des valeurs nulles et le format du texte.

Il est possible de définir une seule section, dans ce cas elle est utilisée pour tous les nombres.

Rappelons que pour créer votre format personnalisé, vous pouvez utiliser les syntaxes suivantes :

Pour ajouter du texte dans un format personnalisé : Ce texte doit obligatoirement être saisi entre guillemets (sans espace avant le guillemet).

Pour un format numérique personnalisé : # ## : affiche un espace entre les milliers et les centaines (Ex. *# ##0,00" HT"* : la saisie *2415* affiche *2 415,00 HT*)

Pour personnaliser un format de date : Pour les jours, utilisez les codes : **j** (1) - **jj** (01) - **jjj** (sam) - **jjjj** (samedi)
Pour les mois, utilisez les codes : **m** (1) - **mm** (01) - **mmm** (jan) - **mmmm** (janvier)
Pour les années, utilisez les codes : aa (04) - aaaa (2004)
Utilisez le caractère de votre choix comme séparateur

Si la saisie contient du texte : Utilisez le caractère @ pour indiquer le texte saisi.
Ex. "*Région :* "@ : la saisie *Sud* affiche *Région : Sud*

Validez par le bouton **OK**.

Pour personnaliser l'affichage des données, vous pouvez aussi utiliser la fonction TEXTE.

Créer un format personnalisé

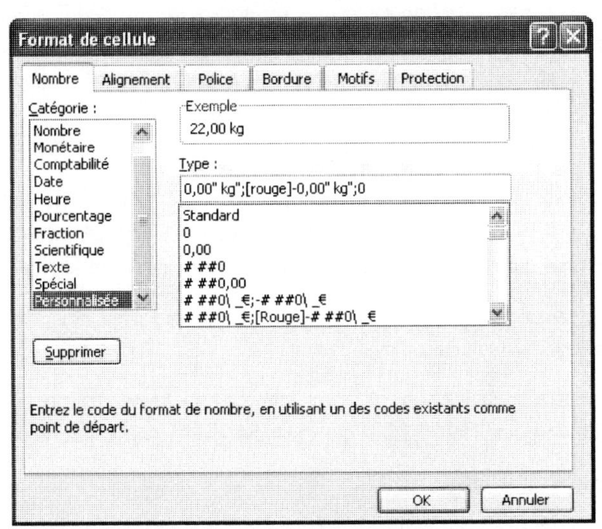

Cet exemple affiche les valeurs positives avec deux décimales suivi du texte kg. Les valeurs négatives apparaissent en rouge précédées du signe - et suivies du texte kg. Les valeurs nulles seront affichées sans décimale et sans le texte kg. Aucun format particulier n'est défini pour les valeurs de type texte.

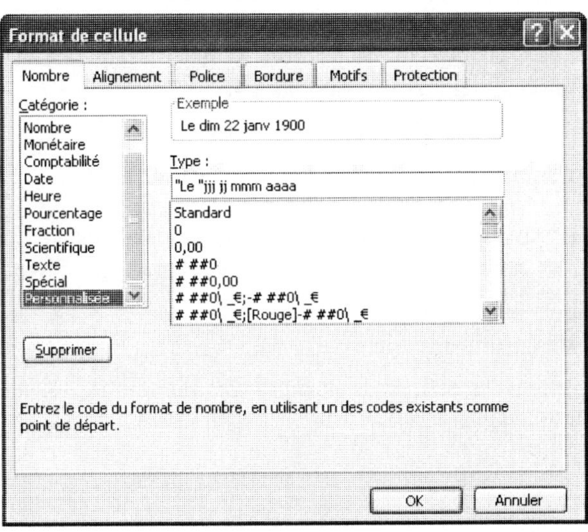

*Excel vous présente un **Exemple** du format défini dans le champ **Type**.*

Créer des formats conditionnels

Vous pouvez, par exemple, afficher en rouge uniquement les cellules d'un tableau contenant un chiffre inférieur à 1000.

Sélectionnez les cellules concernées.

Format - Mise en forme conditionnelle

Dans la zone de liste **Condition 1**, sélectionnez **La valeur de la cellule est** si la condition porte sur la valeur contenue dans les cellules (constante ou résultat de formule) ou **La formule est** si la condition porte sur une formule logique.

Si la condition porte sur la valeur de la cellule, sélectionnez ensuite un opérateur de comparaison puis une valeur de comparaison.

Si la condition porte sur une formule, commencez la saisie par le signe égal (=) puis précisez la formule logique (le résultat de ce type de formule est VRAI ou FAUX).

Cliquez sur le bouton **Format**.

Utilisez les options des onglets **Police**, **Bordure** et **Motifs** pour définir le format à appliquer aux cellules si la condition spécifiée est vérifiée.

Cliquez sur **OK**.

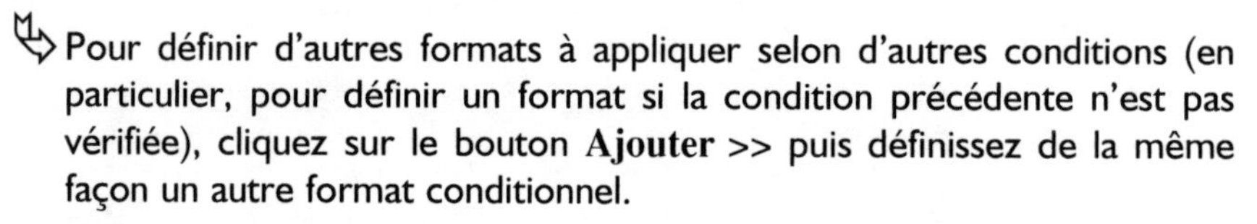

Pour définir d'autres formats à appliquer selon d'autres conditions (en particulier, pour définir un format si la condition précédente n'est pas vérifiée), cliquez sur le bouton **Ajouter >>** puis définissez de la même façon un autre format conditionnel.

Cliquez sur le bouton **OK**.

Vous pouvez poser trois conditions pour la sélection.

Pour supprimer une condition, cliquez sur le bouton **Supprimer**, cochez la condition à supprimer puis cliquez sur **OK**.

Validez en cliquant sur **OK** pour fermer la boîte de dialogue **Mise en forme conditionnelle**.

Le format des cellules se modifie alors automatiquement lorsque le contenu de la cellule varie.

Créer des formats conditionnels

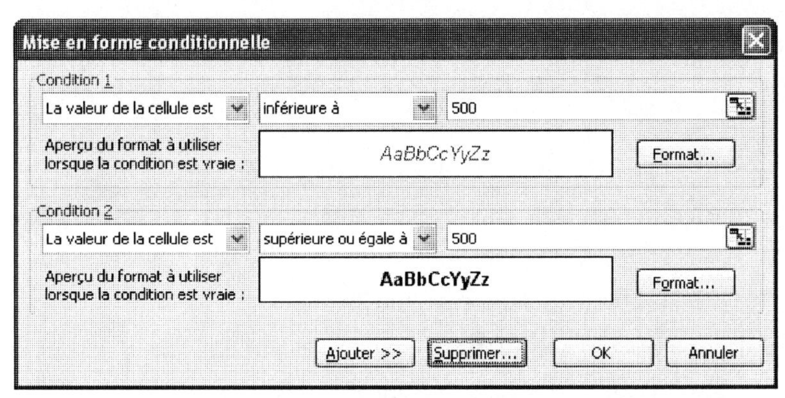

Pour chaque condition posée, Excel affiche l'aperçu du format à appliquer lorsque la condition est vérifiée.

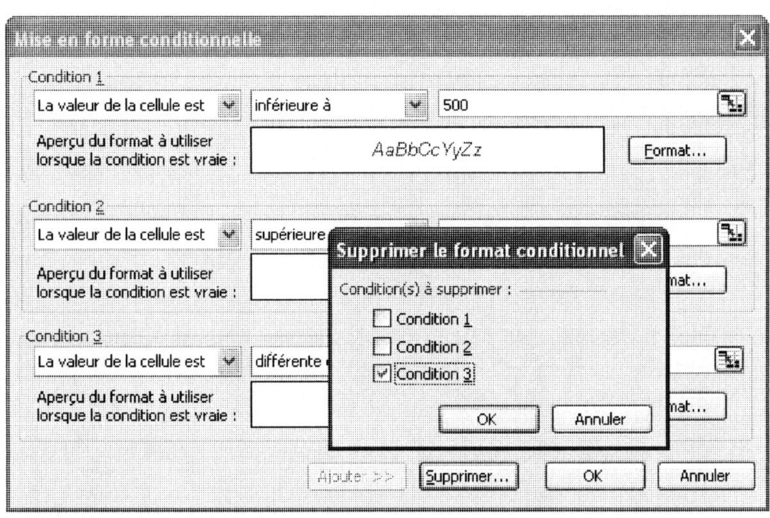

Trois conditions au maximum peuvent être affectées au format conditionnel.

Masquer des contenus de cellule

Sélectionnez les cellules concernées.

Format - Cellule ou Ctrl ⇧Shift 1

Cliquez sur l'onglet **Nombre**.

Au besoin, activez **Personnalisée** dans la zone **Catégorie**.

Supprimez tout ce qui apparaît dans la zone **Type**. Pour cela, sélectionnez les codes existants à l'aide d'un cliqué-glissé puis appuyez sur la touche Suppr.

Tapez ;;; (trois points-virgule) dans le champ **Type**.

Validez en cliquant sur le bouton **OK**.

Pour faire réapparaître le contenu de ces cellules, appliquez-leur un autre format.

Masquer/afficher les valeurs zéro

Sélectionnez les cellules qui contiennent des zéros à masquer.

Format - Cellule ou Ctrl ⇧Shift 1

Cliquez sur l'onglet **Nombre**.

Sélectionnez **Personnalisée** dans la zone **Catégorie**.

Supprimez tout ce qui apparaît dans la zone **Type**.
Tapez **0;0;**

Validez en cliquant sur **OK**.

Pour cacher ou faire réapparaître tous les zéros de la feuille active, cochez ou décochez l'option **Valeurs zéro** de la boîte de dialogue **Options** (**Outils - Options** - onglet **Affichage**).

Pour faire réapparaître les zéros, cochez l'option **Valeurs zéro** (**Outils - Options**) ou appliquez aux cellules concernées, un autre format.

Masquer des contenus de cellule

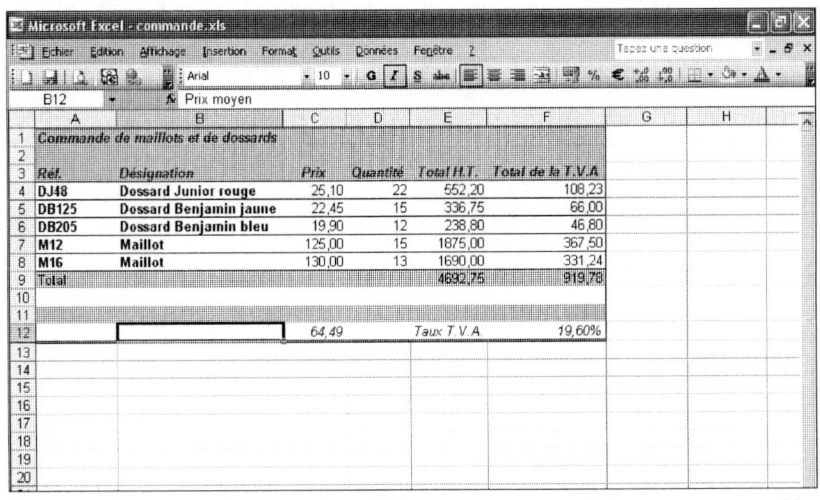

Le contenu d'une cellule masquée (B12 dans notre exemple) est toujours visible dans la barre de formule.

Masquer/afficher les valeurs zéro

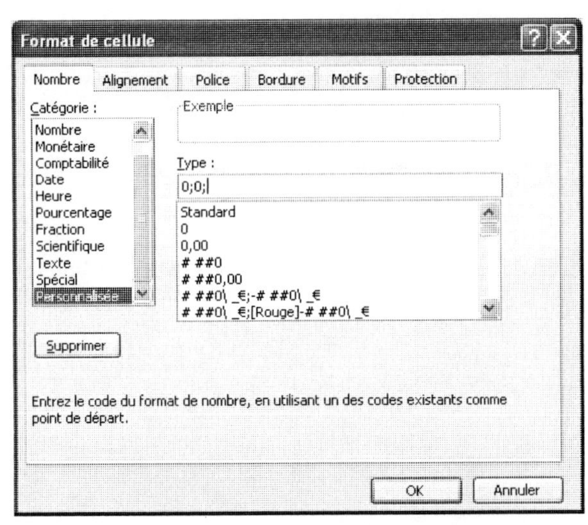

*Le format **0;0;** est stocké dans la zone **Type** et peut être utilisé dans toutes les feuilles du classeur actif.*

Créer une vue

*Une **vue** permet de mémoriser une zone d'impression ainsi que des paramètres de mise en page, des paramètres de filtres, des lignes et colonnes masquées. En appelant la vue, ces options sont alors automatiquement activées.*

Préparez l'impression de la feuille (la mise en page, la zone d'impression, le masquage des colonnes...).

Affichage - Affichages personnalisés.

Cliquez sur le bouton **Ajouter**.

 Saisissez le nom de la vue en cours de création dans la zone **Nom**.

Précisez si la vue doit mémoriser les **Paramètres d'impression** et les **Paramètres masqués des lignes, colonnes et filtres** en cochant la ou les options correspondantes.

Validez en cliquant sur **OK**.

Utiliser une vue

Affichage - Affichages personnalisés

 Cliquez sur le nom de la vue à utiliser dans la zone **Affichages**.

Cliquez sur le bouton **Afficher**.

Créer une vue

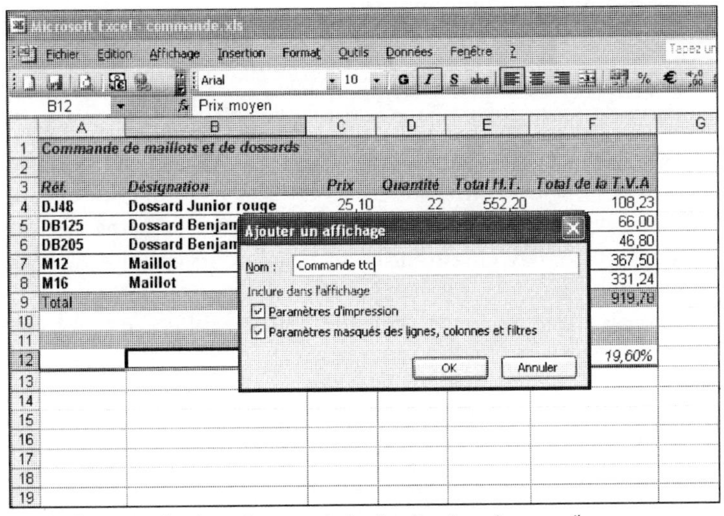

Le fait d'inclure le nom de la feuille dans le nom d'une vue peut faciliter l'identification de celle-ci.

Utiliser une vue

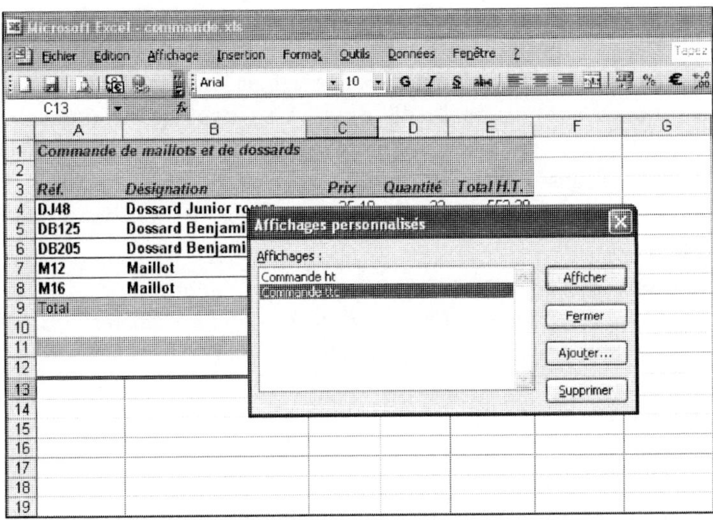

Le bouton ***Supprimer*** permet de supprimer la vue sélectionnée dans la liste ***Affichages***.

Créer une barre d'outils

Affichage - Barres d'outils - Personnaliser
Cliquez sur le bouton **Nouvelle** de l'onglet **Barres d'outils**.
Précisez le **Nom de la barre d'outils** à créer puis validez.

Une minuscule barre flottante apparaît sur la feuille de calcul.

Pour ajouter les outils de votre choix dans la nouvelle barre d'outils, activez l'onglet **Commandes**.
Pour chaque outil à ajouter, sélectionnez la catégorie de l'outil puis faites glisser les **commandes** souhaitées de la boîte de dialogue vers la nouvelle barre d'outils.
Cliquez sur le bouton **Fermer** lorsque tous les outils ont été insérés.

Gérer les outils dans une barre affichée

Affichage - Barres d'outils - Personnaliser
Pour supprimer un outil, faites glisser l'outil à supprimer en dehors de la barre concernée puis fermez la boîte de dialogue **Personnalisation**.

Dès que l'outil est sorti de la barre, il disparaît.

Pour ajouter un outil, assurez-vous que la barre d'outils concernée est bien affichée (**Affichage - Barres d'outils**). Cliquez ensuite sur l'onglet **Commandes** de la boîte de dialogue **Personnalisation**.
Indiquez à quelle **Catégories** appartient l'outil à ajouter.
Faites alors glisser l'outil de la liste des **Commandes** vers la barre concernée. Relâchez le bouton de la souris lorsque la barre noire symbolisant l'emplacement du nouvel outil se situe à l'endroit souhaité.
Terminez en cliquant sur le bouton **Fermer** de la boîte de dialogue **Personnalisation**.

*L'outil est placé à l'endroit pointé lors du glissement. Pour le déplacer, utilisez **Affichage - Barres d'outils - Personnaliser** puis faites-le glisser au nouvel emplacement sur la barre affichée.*

À l'extrémité droite de certaines barres d'outils, un clic sur le symbole permet d'ajouter ou de supprimer des boutons.

Pour retrouver l'original d'une barre d'outils modifiée, sélectionnez le nom de cette barre dans l'onglet **Barres d'outils** de la boîte de dialogue **Personnalisation** et cliquez sur le bouton **Réinitialiser**.

Créer une barre d'outils

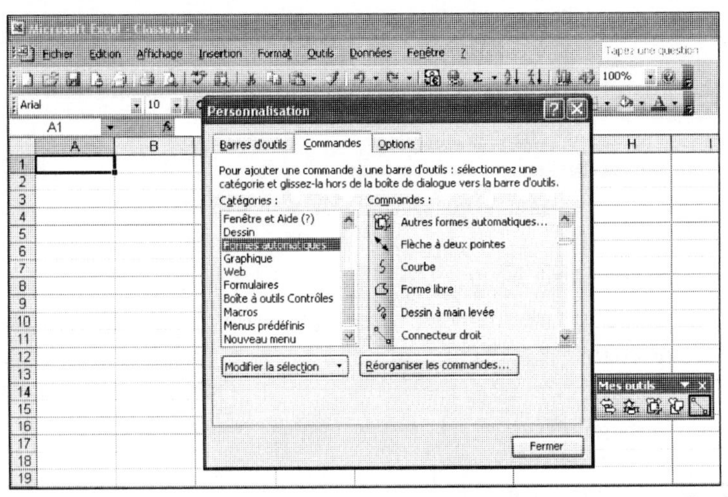

*La nouvelle barre est visible à droite de la boîte de dialogue **Personnalisation**.*

Gérer les outils dans une barre affichée

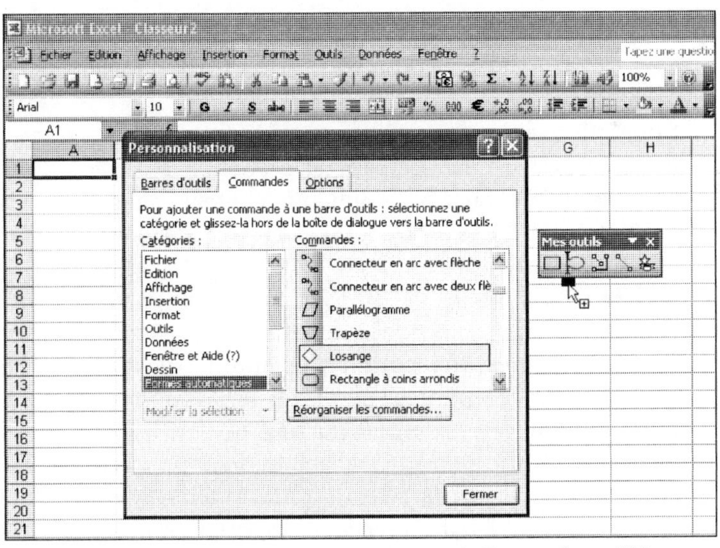

*L'outil **Losange** sera inséré entre les outils **Rectangle** et **Ellipse** dans la barre d'outils **Mes outils**.*

Créer une série de données personnalisée

Outils - Options - onglet **Listes pers.**

Dans la zone **Listes personnalisées**, cliquez sur **Nouvelle liste** même si ce choix est déjà sélectionné.

Dans la zone **Entrées de la liste**, saisissez chacune de vos données en les séparant par la touche [Entrée].

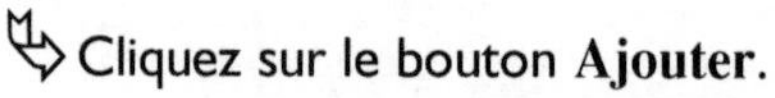

Cliquez sur le bouton **Ajouter**.

La nouvelle liste s'affiche avec les séries existantes et chaque donnée est séparée de la suivante par une virgule.

Validez par le bouton **OK**.

Pour créer une nouvelle série à partir de données déjà saisies, utilisez la commande **Outils - Options** - onglet **Listes pers.**, cliquez sur [icône] associé au champ **Importer la liste des cellules**, sélectionnez les cellules contenant la série à importer, cliquez ensuite sur [icône] avant de cliquer sur le bouton **Importer**.

Personnaliser les menus

Ouvrez le classeur concerné par la modification puis ouvrez la boîte de dialogue **Personnalisation** par la commande **Outils - Personnaliser**.

Cliquez, si besoin est, sur l'onglet **Commandes**.

Ouvrez le menu concerné dans la barre des menus de la fenêtre de l'application.

Pour ajouter une option dans le menu, sélectionnez l'une des **Catégories** dans laquelle se trouve l'option à ajouter puis dans la liste **Commandes**, cliquez sur l'option à ajouter. Faites glisser (sans relâcher le bouton de la souris) l'option dans le menu visible dans la fenêtre Excel à l'endroit voulu.

Relâchez le bouton de la souris lorsque le trait noir symbolisant l'emplacement de la nouvelle option se trouve à l'endroit souhaité.

Pour supprimer une option d'un menu, cliquez sur le nom du menu ou de l'option à supprimer puis faites-le glisser en dehors de tout menu.

Pour renommer un menu ou une option, cliquez dans la barre des menus de l'application sur le menu ou l'option à renommer. Cliquez sur le bouton **Modifier la sélection**. Modifiez le nom de l'option dans la zone **Nom** en faisant précéder du caractère **&** la lettre qui devra apparaître soulignée. Validez par [Entrée].

Créer une série de données personnalisée

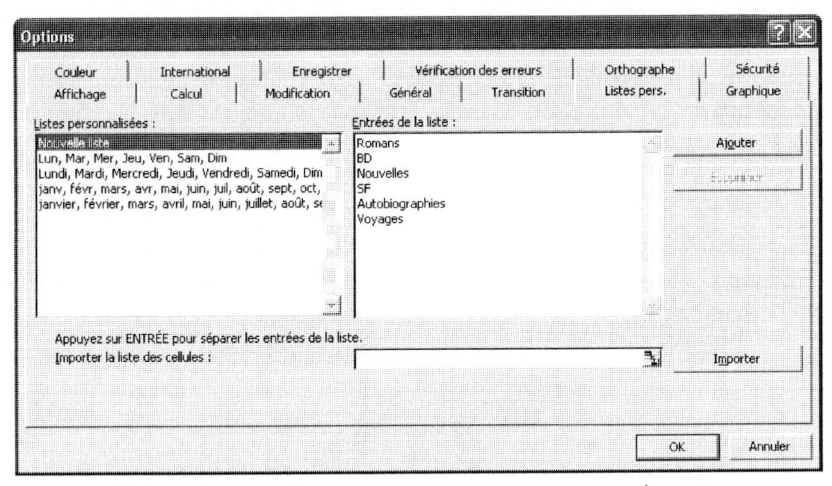

Pour utiliser une liste, vous pouvez commencer par n'importe quel élément de celle-ci.

Personnaliser les menus

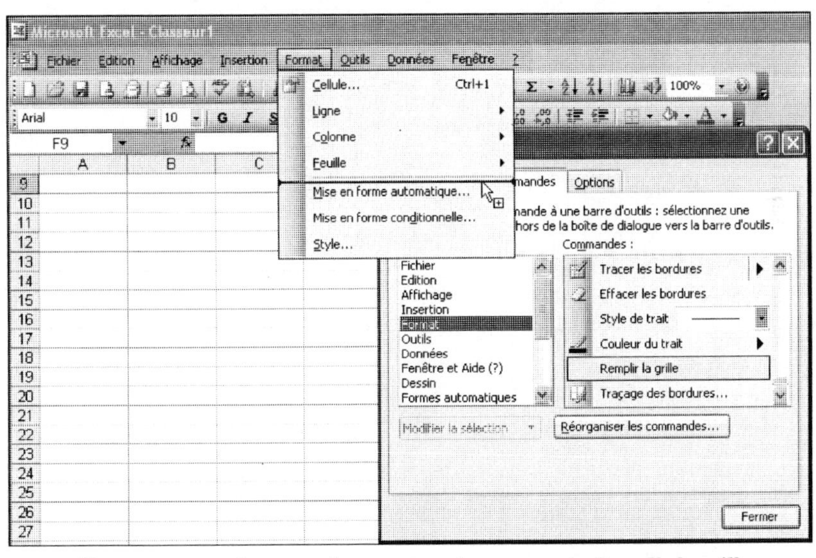

*Dans cet exemple, nous allons insérer la commande **Remplir la grille** dans le menu **Format**, entre les commandes **Feuille** et **Mise en forme automatique**.*

Activer les balises actives

Les balises actives vont permettre certaines actions d'après leur contenu suivant le type de données reconnu par Excel. Exemple : si Paul DUPONT est un des derniers contacts auquel vous avez envoyé un mail par Microsoft Outlook, Excel reconnaîtra ce nom dans une cellule et vous permettra de lui envoyer un nouveau message, de l'ajouter dans les contacts, etc.

Outils - Options de correction automatique puis activez l'onglet **Balises actives.**

Pour activer les balises actives, cochez l'option **Attacher des balises actives aux données.**

Pour choisir les types de données que Microsoft Excel doit ou non reconnaître et désigner par des balises actives, cochez ou déchochez les options correspondantes dans la liste **Modules de reconnaissance.**

*Le bouton **Vérification du classeur** permet de vérifier le contenu du classeur actif en fonction des options définies dans la boîte de dialogue.*

Cliquez sur le bouton **Balises actives supplémentaires** pour mettre à jour via Internet les balises actives disponibles.

Dans la liste **Afficher les balises actives en tant que**, sélectionnez **Indicateur et bouton** si vous souhaitez repérer les balises actives par un indicateur (triangle violet) et par un bouton ().

Pour enregistrer les balises lors de l'enregistrement du document, cochez l'option **Incorporer les balises actives dans ce classeur.**

Cliquez sur le bouton **OK.**

Utiliser les balises actives

Positionnez le pointeur sur le triangle violet de la cellule afin de visualiser le bouton **Actions des balises actives** .

Cliquez sur le bouton pour afficher les différentes actions disponibles pour le type de données sélectionné.

Cliquez sur l'action à exécuter.

Activer les balises actives

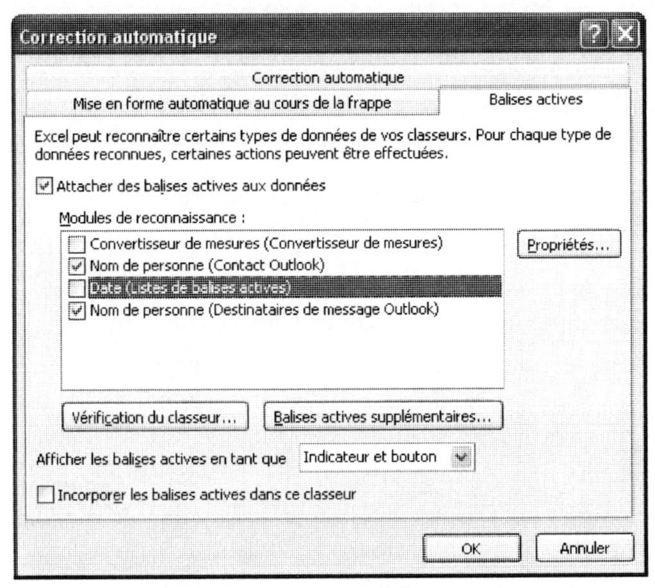

*Le bouton **Propriétés** vous permet d'obtenir, à partir du site Office.Microsoft.com, de plus amples informations sur les balises (ne fonctionne qu'avec certaines balises).*

Utiliser les balises actives

	A	B	C	D	E
1	**VENTES 01**				
2					
3	**Commercial**	Stéphanie Dupont			
4					
5	Code article	janvier			
6	D1501				
7	BU203				
8	CA112				
9	CA114				
10					
11					
12					
13					
14					
15					

Nom de personne: Stéphanie Dupont
Envoyer un message
Organiser une réunion
Ouvrir le contact
Ajouter aux contacts
Supprimer cette balise active
Arrêter de reconnaître "Stéphanie Dupont"
Options des balises actives...

La donnée reconnue par Excel est un "nom de personne" : les actions proposées permettent d'envoyer un message à ce destinataire, d'ouvrir la fiche de ce contact...

Supprimer les balises actives

Pour supprimer une balise active, positionnez le pointeur sur le triangle violet de la cellule afin de visualiser le bouton **Actions des balises actives** .

Cliquez sur le bouton pour afficher les différentes actions disponibles pour le type de données sélectionné. Sélectionnez l'option **Supprimer cette balise active**.

Pour supprimer toutes les balises actives du classeur actif, faites **Outils - Options de correction automatique** - onglet **Balises actives**.

- Décochez les options **Attacher des balises actives aux données** et **Incorporer les balises actives dans ce classeur**.

  Pour désactiver un type de balises actives, désélectionnez ce type dans la liste **Modules de reconnaissance** de la boîte de dialogue **Correction automatique**.

  Cliquez sur le bouton **OK**.

  Fermez puis rouvrez le classeur pour que ces modifications prennent effet.

Supprimer les balises actives

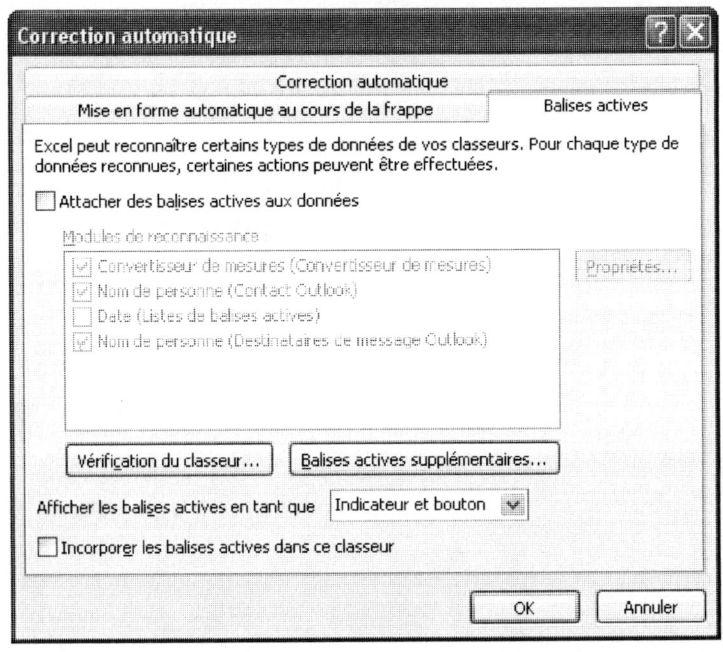

*Les options **Modules de reconnaissance** sont inaccessibles lorsque les balises actives ne sont plus attachées aux données.*

Importer des données à partir d'un fichier texte

Cette commande permet d'importer des données d'un fichier texte avec la possibilité de mettre à jour ces données.

Activez une cellule en dehors d'une zone de données importées.

Données - Données externes - Importer des données

Dans la zone **Type de fichiers**, sélectionnez **Fichiers texte**. Sélectionnez l'unité puis le dossier dans lequel se trouve le fichier texte à importer. Sélectionnez le fichier à importer et cliquez sur le bouton **Ouvrir**.

Modifiez, si besoin, le **Type de données d'origine**.

Si vous ne souhaitez pas tout importer, indiquez la ligne à partir de laquelle vous souhaitez commencer l'importation dans le champ **Commencer l'importation à la ligne**. Cliquez sur le bouton **Suivant**.

Choisissez le type de séparateur si le fichier est de type **Délimité** ou définissez la largeur des champs s'il est de type **Largeur fixe**. Cliquez sur **Suivant**.

Pour chaque colonne, sélectionnez le type de données dans **Format des données en colonne**. Cliquez sur le bouton **Avancé** pour définir le type de séparateur de décimales et des milliers. Cliquez sur **Terminer**.

Pour insérer les données dans une **Feuille de calcul existante**, activez l'option correspondante et cliquez sur [icône] pour sélectionner la première cellule de destination des données puis sur [icône] avant de valider avec **OK**.

Pour insérer les données dans une **Nouvelle feuille de calcul**, activez l'option correspondante puis cliquez sur **OK**.

Vous pouvez utiliser le menu **Fichier - Ouvrir** pour importer un fichier texte, Excel vous guide alors dans l'importation des données grâce à l'**Assistant Importation de texte** mais dans ce cas, vous n'avez pas la possibilité d'actualiser les données.

Importer des données à partir d'un fichier texte

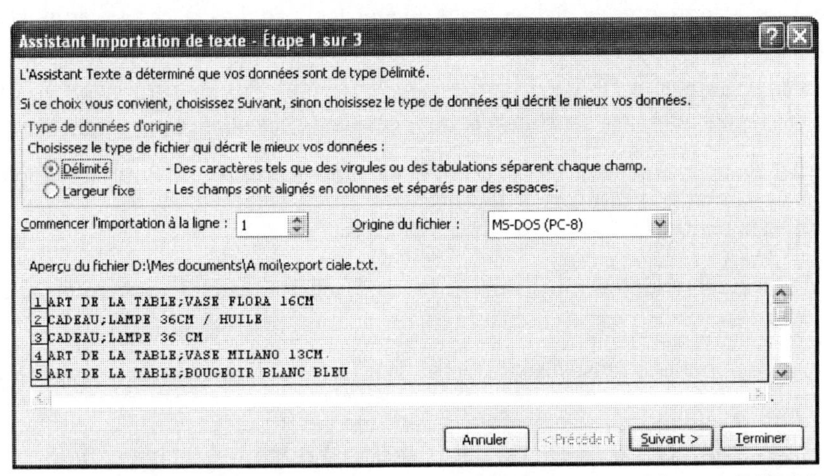

*L'Assistant vous informe que les données du fichier texte sont de type **Délimité** (séparées par des tabulations ou des virgules) ou de type **Largeur fixe** (séparé par des espaces).*

Copier des données d'une application vers Excel

Ouvrez l'application puis le fichier dans lequel les données à copier sont stockées. Sélectionnez les données à copier.

Si vous sélectionnez du texte qui n'est pas séparé par un séparateur (tabulation, virgule...) le texte sera copié dans une seule cellule de la feuille de calcul Excel.

Copiez les données en utilisant la commande correspondante. Pour les applications Office, utilisez **Edition - Copier** ou ou Ctrl **C**.

Ouvrez, si besoin, l'application Excel et le classeur dans lequel vous souhaitez placer les données. Activez la première cellule de destination des copies.

Pour coller les données sans liaison, utilisez **Edition - Coller** ou ou Ctrl **V**

Pour coller les données avec liaison, pour que les modifications du fichier source soient répercutées dans la feuille de calcul, utilisez **Edition - Collage spécial**.

Activez l'option **Coller avec liaison**. Dans la liste **En tant que**, sélectionnez le format dans lequel les données doivent être collées. Cliquez sur **OK**.

Copier des données d'une page Web vers Excel

Cette technique permet de copier des données à partir d'une page Web ouverte dans Internet Explorer (à partir de la version 4.1).

Dans le navigateur, sélectionnez les données à copier à l'aide d'un cliqué-glissé.

Edition - Copier ou ou Ctrl **C**

Ouvrez, si besoin, l'application Excel et le document dans lequel vous souhaitez placer les données. Activez la première cellule de destination des copies.

Edition - Coller ou ou Ctrl **V**

Pour modifier la façon dont Excel a collé les données, cliquez sur la balise , située en bas à droite de la plage des cellules collées, et cliquez sur l'option **Respecter la mise en forme de destination**.

Copier des données d'une application vers Excel

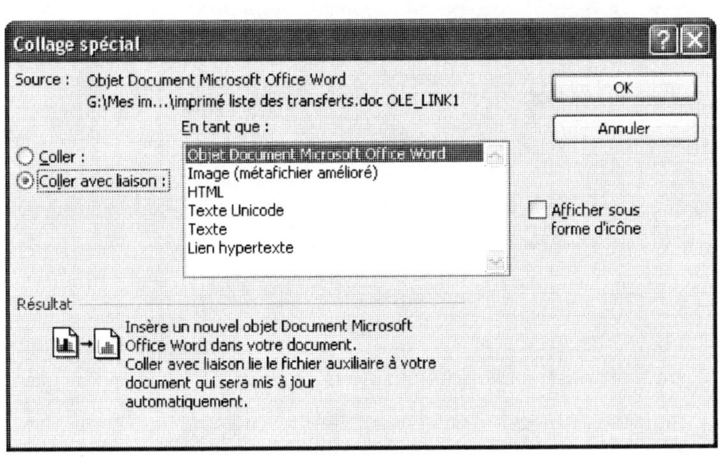

*L'option **Afficher sous forme d'icône** permet d'afficher les données liées sous forme d'icône et non détaillées.*

Copier des données d'une page Web vers Excel

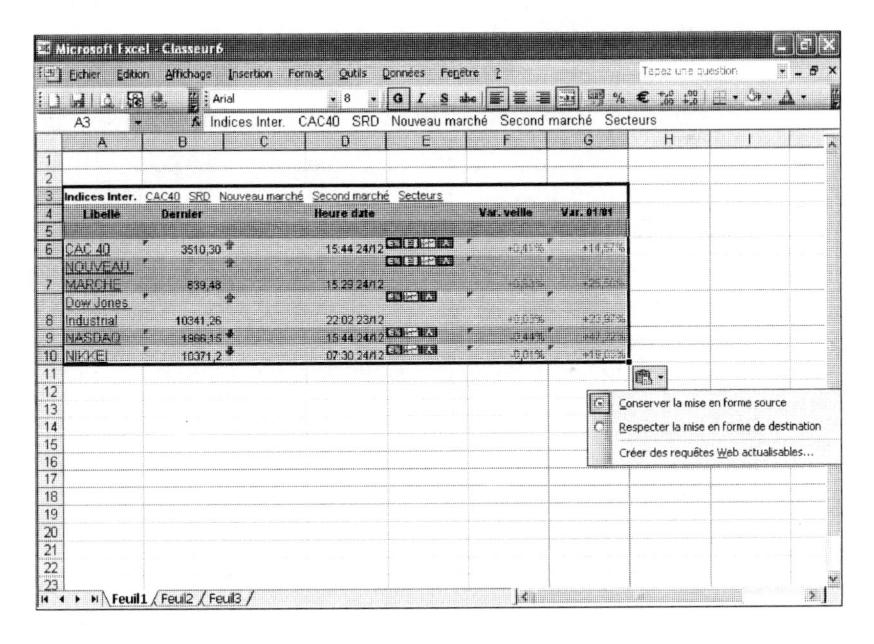

Importer des données d'une page Web

Une requête Web permet d'importer les données d'un tableau ou de plusieurs tableaux dans un page Web avec la possibilité de mettre à jour les données.

Activez une cellule en dehors d'une zone de données importées.

Données - Données externes - Nouvelle requête sur le Web

- Dans la zone **Adresse**, saisissez l'URL du site Web à partir duquel vous souhaitez importer les données. Cliquez sur **OK**.

  Cliquez sur (situé en haut à gauche) du ou des tableaux que vous souhaitez importer ou sur dans le coin supérieur gauche de la page pour importer les données de la page entière.

  *Si vous ne voyez pas ces symboles, cliquez sur l'outil de la barre d'outils de la fenêtre **Nouvelle requête sur le Web**.*

  Le symbole se transforme en .

  Pour sauvegarder la requête afin de pouvoir l'utiliser dans d'autres documents, cliquez sur de la barre d'outils de la fenêtre **Nouvelle requête sur le Web**. Donnez un nom à la requête et cliquez sur **Enregistrer**.

  Cliquez sur **Importer**.

  Pour insérer les données dans une feuille de calcul existante, cochez l'option correspondante et cliquez sur pour sélectionner la première cellule de destination des données puis sur avant de valider avec **OK**.

  Pour insérer les données dans une nouvelle feuille de calcul, cochez l'option correspondante puis cliquez sur **OK**.

  Pour exécuter une requête Web enregistrée, utilisez la commande **Données - Données externes - Importer des données**.

- Recherchez puis sélectionnez la requête à exécuter, cliquez sur le bouton **Ouvrir**, activez ensuite l'option souhaitée en fonction de l'endroit où les données doivent être insérées dans le classeur puis cliquez sur **OK**.

Importer des données d'une page Web

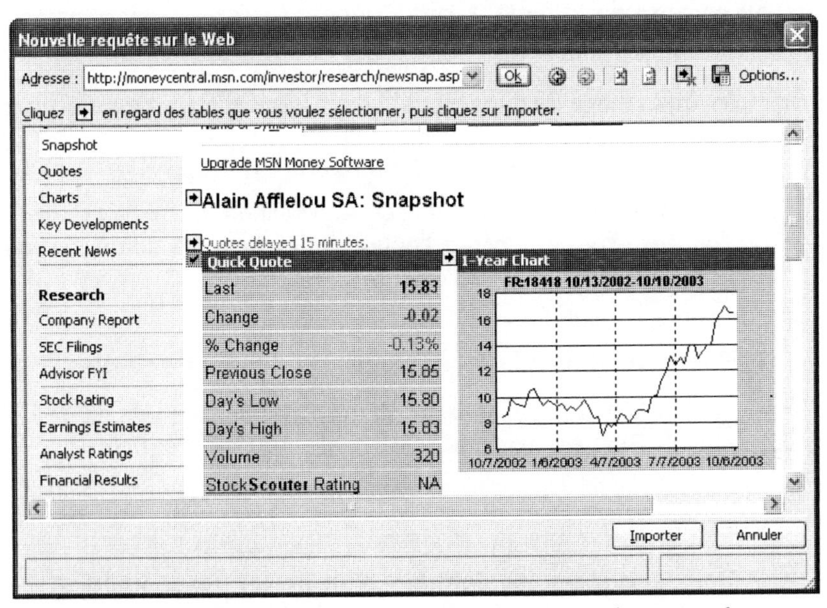

*Le bouton **Options** vous permet de modifier les options de mise en forme et d'importation par défaut.*

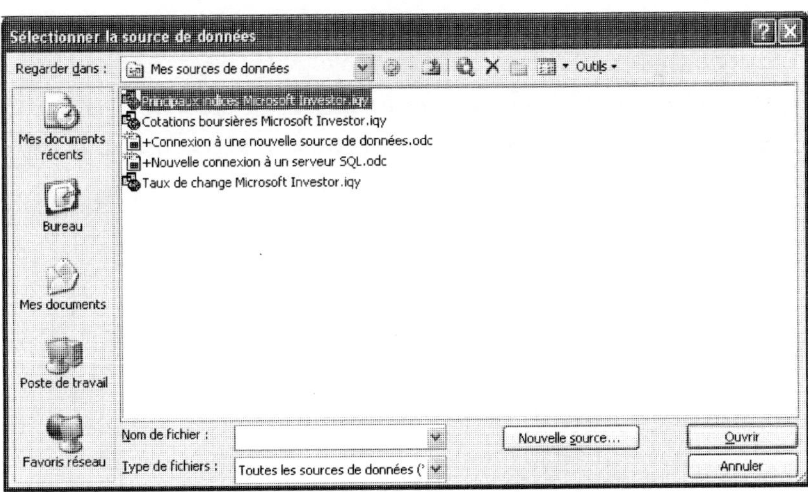

Les requêtes Web enregistrées portent l'extension .iqy.

Actualiser les données importées

Pour actualiser automatiquement des données externes dès l'ouverture du classeur, cliquez sur une des cellules de la plage de données externes puis cliquez sur l'outil **Propriétés de la plage de données** de la barre d'outils **Données externes**.

Cochez l'option **Actualiser à l'ouverture du fichier**.

Pour enregistrer le classeur et la définition de requête mais pas les données externes, cochez l'option **Supprimer les données externes de la feuille avant enregistrement**.

Cliquez sur le bouton **OK** pour valider.

Pour actualiser plusieurs plages de données externes situées sur la même feuille, cliquez sur l'outil **Réactualiser tout** de la barre d'outils **Données externes** (**Affichage - Barres d'outils**).

Pour actualiser les données de plusieurs classeurs ouverts, cliquez sur l'outil dans chacun des classeurs.

Pour actualiser les données d'un fichier texte importé, sélectionnez la feuille de calcul contenant le fichier texte importé, puis cliquez sur l'outil **Actualiser les données** .

Cliquez, si nécessaire, sur le bouton **OK** du message vous demandant de confirmer que le fichier est fiable.

*La boîte de dialogue **Importer Fichier Texte** apparaît.*

Sélectionnez le fichier texte que vous souhaitez actualiser, puis cliquez sur le bouton **Importer**.

Actualiser les données importées

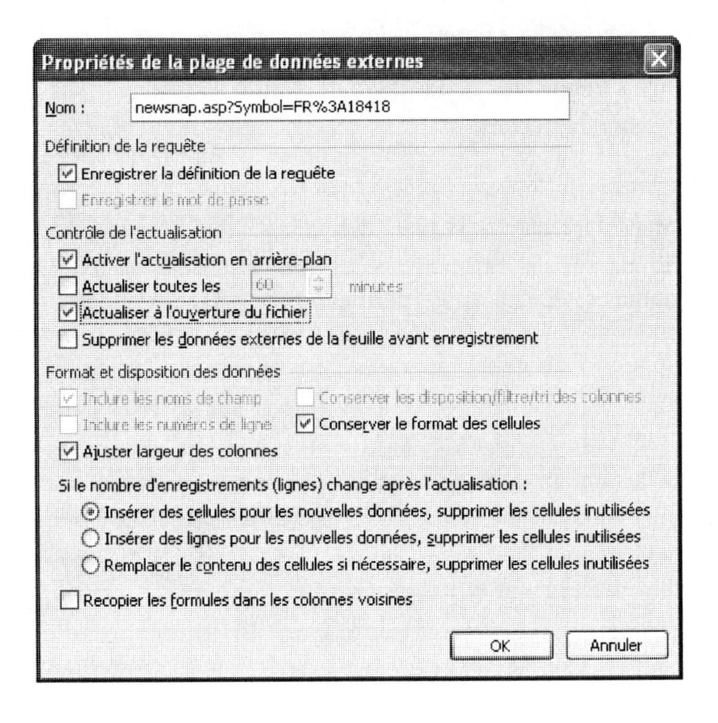

Actualiser les données

L'actualisation de données utilise une requête pour importer des données externes dans Excel. Toutefois, certaines requêtes peuvent avoir pour objet de consulter des informations confidentielles et de les rendre accessibles à d'autres utilisateurs, ou encore d'effectuer d'autres opérations malveillantes.

Si la source de ce fichier est fiable, cliquez sur OK.

Ne plus afficher ce message.

OK Annuler

Modifier les paramètres d'actualisation

Sélectionnez une des cellules contenant les données importées à actualiser, **Données - Données externes - Propriétés de la plage de données** ou cliquez sur l'outil de la barre d'outils **Données externes**.

Conservez l'option **Enregistrer la définition de la requête** active pour avoir la possibilité de mettre à jour les données importées.

Si un mot de passe est nécessaire pour se connecter aux sources de données, Excel vous permet d'en exiger la saisie (à la première actualisation des données externes par session), pour cela, décochez l'option **Enregistrer le mot de passe.**

Cette fonctionnalité ne s'applique pas aux données extraites d'un fichier texte (.txt) ou d'une requête Web (*.iqy).*

Sélectionnez la manière et la fréquence à laquelle Excel doit actualiser les données dans le cadre **Contrôle de l'actualisation.**

Sélectionnez les options de mise en forme des données importées dans le cadre **Format et disposition des données.**

Indiquez le comportement d'Excel **Si le nombre d'enregistrements (lignes) change après l'actualisation** dans le cadre du même nom.

L'option **Recopier les formules dans les colonnes voisines** permet la recopie automatique des formules que vous avez pu ajouter après avoir importé les données.

Cliquez sur **OK**.

Modifier les paramètres d'actualisation

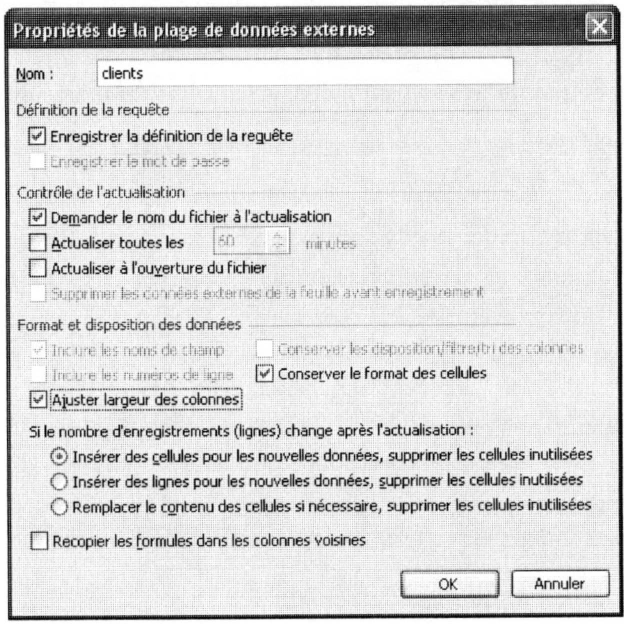

Selon le type de données importées, certaines options sont inaccessibles.

Exporter des données Excel vers d'autres applications

Pour exporter des données par un cliqué-glissé, activez la feuille contenant les données Excel à exporter.

Ouvrez l'application puis le fichier dans lequel vous souhaitez exporter les données.

Sélectionnez, dans la feuille de calcul du classeur Microsoft Excel, les cellules contenant les données que vous souhaitez exporter.

Pointez l'un des bords de la sélection.

Le pointeur de la souris prend alors l'apparence d'une flèche à quatre têtes. Attention, ne pointez pas la poignée de recopie.

Maintenez la touche Ctrl enfoncée puis glissez la sélection vers la fenêtre de l'application dans laquelle l'exportation doit se faire, à l'endroit où vous souhaitez que les données apparaissent.

Relâchez le bouton de la souris puis la touche Ctrl.

Pour exporter en copiant des données sans établir de liaison, sélectionnez les cellules Excel contenant les données à copier.

Edition - Copier ou ou Ctrl **C**

Ouvrez l'application puis le fichier dans lequel vous souhaitez coller les données.

Cliquez à l'endroit où les données doivent être collées puis faites **Edition - Coller** ou ou Ctrl **V**.

Pour exporter en copiant des données en établissant une liaison, sélectionnez les données Excel à exporter, **Edition - Copier** ou ou Ctrl **C**.

Ouvrez l'application puis le fichier dans lequel vous souhaitez coller les données.

Cliquez à l'endroit où les données doivent être collées puis faites **Edition - Collage spécial**.

Exporter des données Excel vers d'autres applications

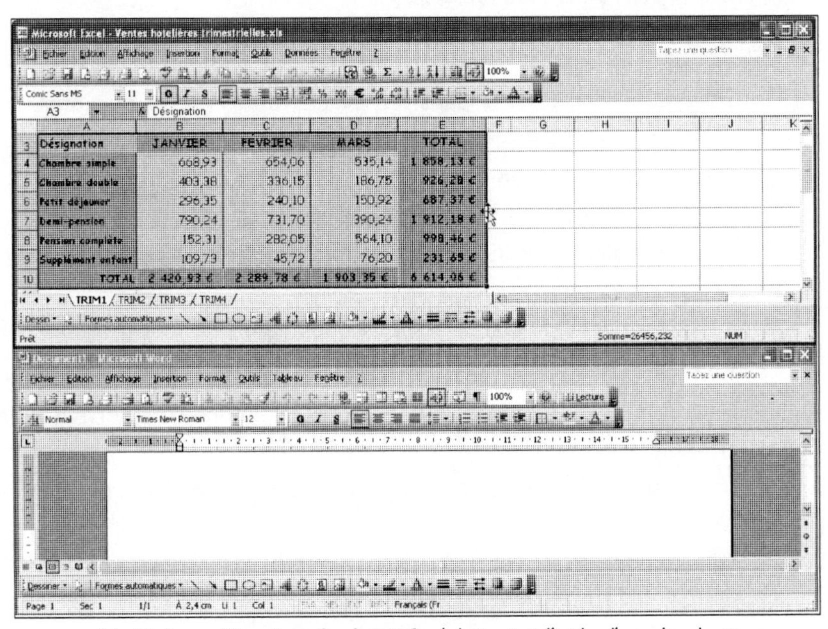

*L'affichage **Mosaïque horizontale** s'obtient à l'aide d'un clic droit dans un espace vierge de la barre des tâches.*

Exporter des données Excel vers d'autres applications (suite)

Activez l'option **Coller avec liaison.**

Sélectionnez le format dans lequel des données doivent être collées à l'aide de la liste **En tant que**.

Cliquez sur le bouton **OK**.

Pour exporter un fichier entier, ouvrez l'application dans laquelle vous souhaitez ouvrir le classeur Microsoft Excel (exemple : Microsoft Access).

Il faut bien entendu que cette application gère le format des fichiers Excel.

Fichier - Ouvrir

Ouvrez la liste **Type de fichiers** puis sélectionnez le format **Microsoft Excel**.

Sélectionnez l'unité puis le dossier dans lequel le classeur Microsoft Excel est stocké.

Sélectionnez le fichier puis cliquez sur le bouton **Ouvrir** ou faites un double clic sur le nom du fichier.

Si besoin est, renseignez la ou les boîtes de dialogue qui apparaissent successivement.

Les données Excel sont désormais visibles à l'écran.

Fichier - Enregistrer sous

Dans la liste **Type de fichier**, sélectionnez le format de l'application active.

Si besoin est, modifiez l'unité et/ou le dossier de classement puis changez le **Nom de fichier**.

Cliquez sur le bouton **Enregistrer**.

Exporter des données Excel vers d'autres applications (suite)

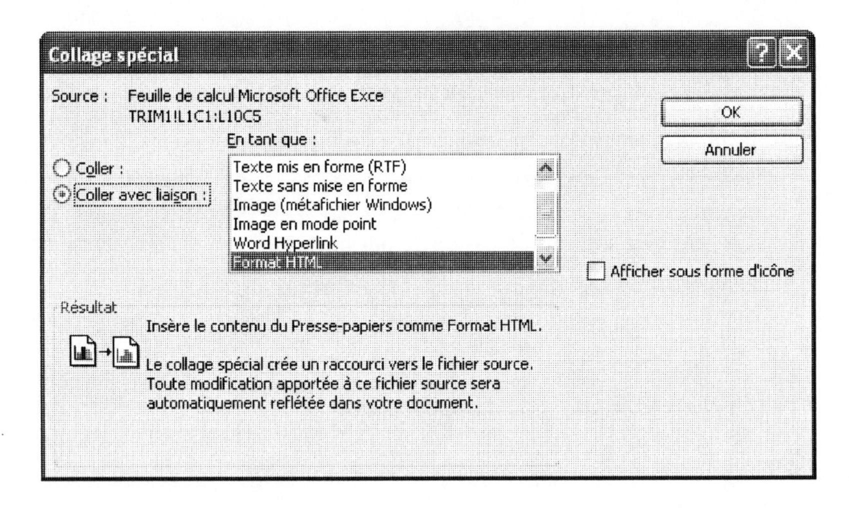

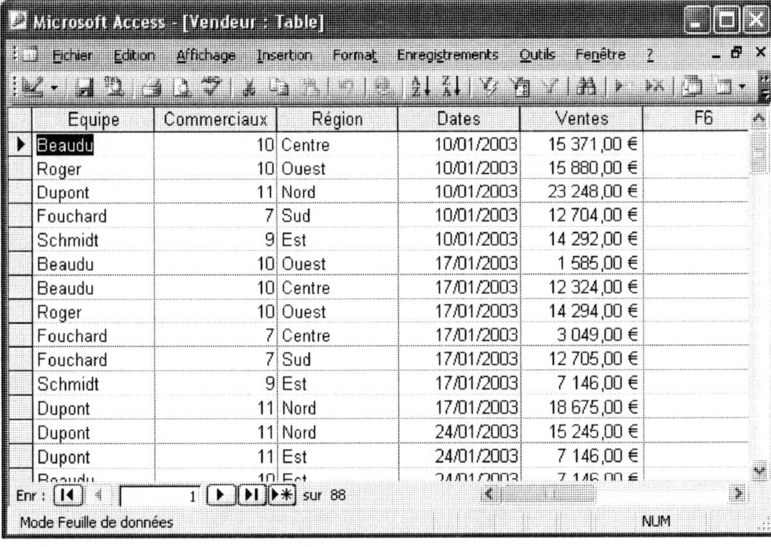

Equipe	Commerciaux	Région	Dates	Ventes	F6
Beaudu	10	Centre	10/01/2003	15 371,00 €	
Roger	10	Ouest	10/01/2003	15 880,00 €	
Dupont	11	Nord	10/01/2003	23 248,00 €	
Fouchard	7	Sud	10/01/2003	12 704,00 €	
Schmidt	9	Est	10/01/2003	14 292,00 €	
Beaudu	10	Ouest	17/01/2003	1 585,00 €	
Beaudu	10	Centre	17/01/2003	12 324,00 €	
Roger	10	Ouest	17/01/2003	14 294,00 €	
Fouchard	7	Centre	17/01/2003	3 049,00 €	
Fouchard	7	Sud	17/01/2003	12 705,00 €	
Schmidt	9	Est	17/01/2003	7 146,00 €	
Dupont	11	Nord	17/01/2003	18 675,00 €	
Dupont	11	Nord	24/01/2003	15 245,00 €	
Dupont	11	Est	24/01/2003	7 146,00 €	

Dans cet exemple, nous avons créé une table Access à partir de données Excel.

Enregistrer une macro

Au besoin, ouvrez le classeur concerné par la macro.

Outils - Macro - Nouvelle macro

Tapez le **Nom de la macro** (sans espace) dans la zone correspondante.

Précisez, si besoin, la **Touche de raccourci** qui permettra de l'exécuter.

Indiquez où doit être stockée la macro : dans le classeur actif ou dans un nouveau classeur ; pour que la macro soit toujours disponible, choisissez **Classeur de macros personnelles.**

Tapez du texte dans la zone **Description** pour ajouter ou modifier les informations relatives à la macro.

Cliquez sur **OK**.

*La barre d'outils **Macro** apparaît ainsi que le mot **Enregistrement** sur la barre d'état.*

Réalisez toutes les manipulations à automatiser par la macro-commande.

Lorsque toutes les manipulations ont été réalisées, cliquez sur l'outil de la barre d'outils **Macro** ou **Outils - Macro - Arrêter l'enregistrement**.

Les macros enregistrées dans le classeur de macros personnelles sont créées dans un fichier appelé PERSO.XLS qui est le recueil des macros personnelles. Le classeur étant automatiquement ouvert et masqué au lancement d'Excel, les macros de ce type sont toujours accessibles.

Exécuter une macro

Si la macro a été conçue dans un classeur autre que PERSO.XLS, ouvrez-le.

Utilisez soit l'outil, soit le raccourci que vous avez attribué à votre macro.

Si aucun raccourci ou outil n'est associé à la macro, faites **Outils - Macro - Macros** ou Alt F8.

Indiquez où se trouve la macro à exécuter à l'aide de la liste **Macros dans.**

Cliquez sur le nom de la macro à lancer puis sur **Exécuter**.

Créer une macro

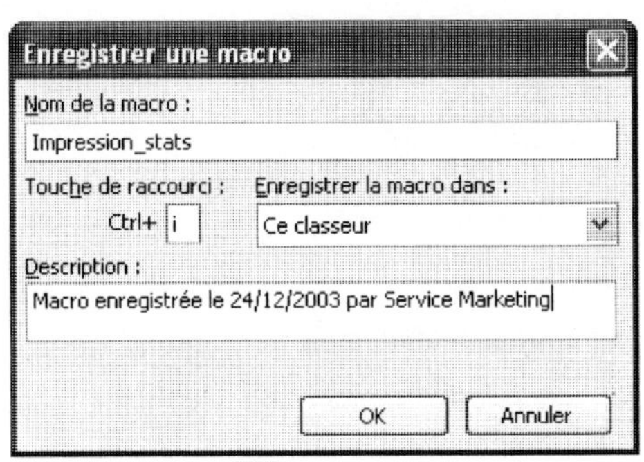

*Le raccourci Ctrl i permettra d'exécuter la macro **Impression_stats**.*

Exécuter une macro

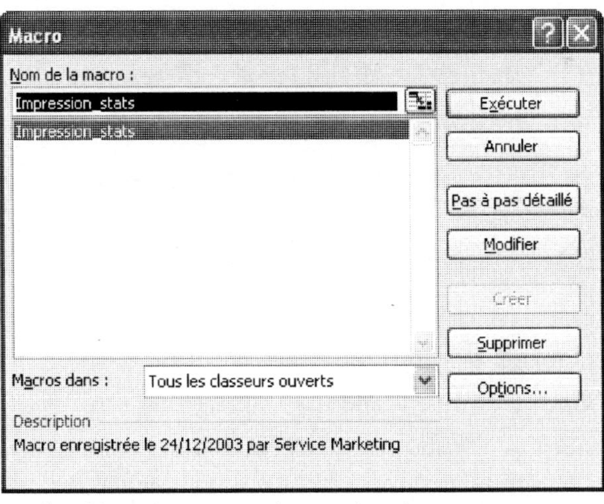

Excel liste les macros de tous les classeurs ouverts.

Charger des macros complémentaires à partir d'Excel

Ces macros sont fournies avec Excel mais ne sont pas disponibles directement.

Outils - Macros complémentaires

Cochez les macros complémentaires à charger dans la liste **Macros complémentaires disponibles.**

Validez par **OK**.

Cliquez sur le bouton **Oui** à la demande d'installation.

Les macros complémentaires sont ventilées entre les différents menus d'Excel sous forme d'options.

Gérer les macros

Si la macro se trouve dans **PERSO.XLS**, affichez ce classeur masqué en exécutant la commande **Fenêtre - Afficher** ; sinon, ouvrez le classeur contenant la macro à modifier ou à supprimer.

Pour supprimer une macro, exécutez la commande **Outils - Macro - Macros** ou appuyez sur les touches [Alt][F8].

Cliquez sur le **Nom de la macro** à supprimer.

Cliquez sur le bouton **Supprimer** et confirmez par **Oui**.

Cliquez sur le bouton **Fermer**.

Pour modifier une macro, exécutez la commande **Outils - Macro - Macros** ou appuyez sur les touches [Alt][F8].

Cliquez sur le **Nom de la macro** à modifier puis sur le bouton **Modifier**.

Réalisez vos modifications puis exécutez la commande **Fichier - Fermer et retourner à Microsoft Excel.**

Confirmez les modifications en cliquant sur **Oui**.

Masquez le classeur **PERSO.XLS** par **Fenêtre - Masquer** s'il a été affiché pour la modification ou la suppression d'une macro.

Charger des macros complémentaires à partir d'Excel

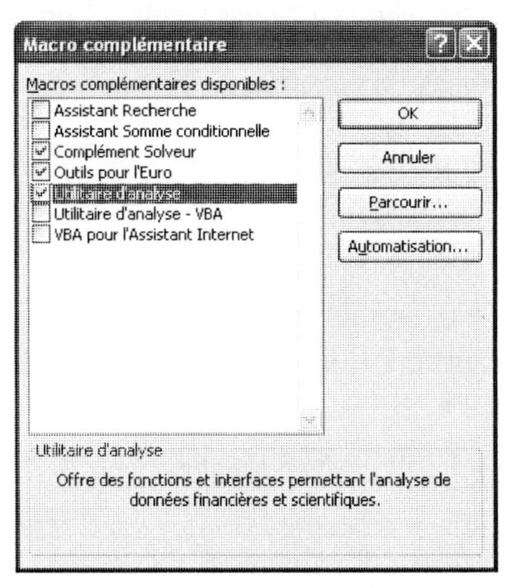

Dans la partie inférieure de la boîte de dialogue apparaît le descriptif de la macro complémentaire sélectionnée.

Gérer les macros

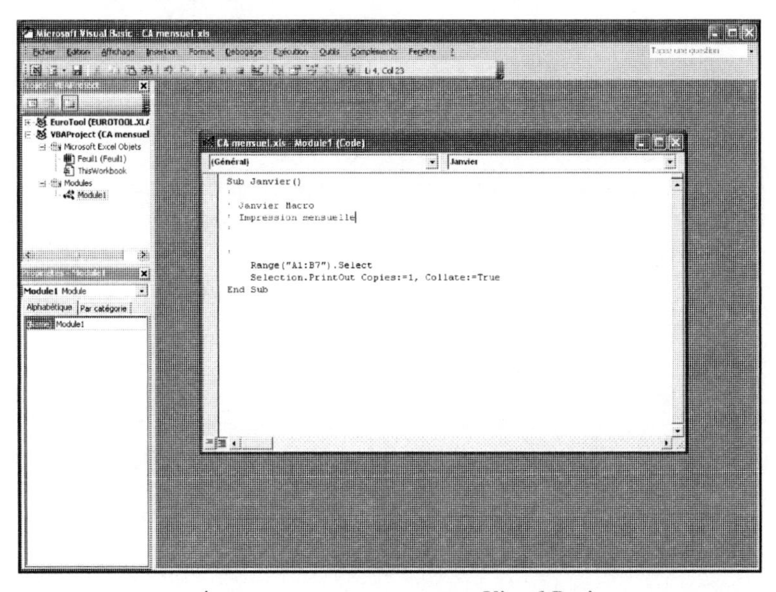

Les macros sont écrites en ***Visual Basic****.*

Créer et/ou publier une page Web non interactive

La totalité d'un classeur Excel diffusé au format HTML sur un réseau intranet et/ou Internet ne peut pas être interactive. Il s'agit d'informations qui pourraient être consultées mais pas modifiées par les internautes ou intranautes.

Créez ou ouvrez le classeur contenant les données à publier.

Sélectionnez, si nécessaire, les données à publier ou n'effectuez aucune sélection si vous souhaitez publier le classeur entier ou la feuille active.

Fichier - Enregistrer en tant que page Web

Ouvrez la liste **Enregistrer dans** et sélectionnez le dossier dans lequel seront enregistrés la page Web et ses composants.

Utilisez les **Options Web** du menu **Outils** pour modifier les paramètres de la page Web en cours de création.

Choisissez d'enregistrer le **Classeur entier** ou la **Sélection.**

Assurez-vous que l'option **Ajouter l'interactivité** est décochée.

Cliquez sur le bouton **Modifier le titre** pour saisir le texte qui s'affichera dans la barre de titre du navigateur à l'ouverture de la page Web ; validez votre saisie en cliquant sur **OK**.

Modifiez si nécessaire le **Nom de fichier** et vérifiez que le **Type de Fichier** est **Page Web**.

Cliquez sur le bouton **Enregistrer**.

En plus de la page Web (format htm), Excel a généré un dossier contenant tous les composants de la page Web (appelé aussi dossier de prise en charge).

Pour **Publier** la page Web sur un serveur, cliquez sur le bouton correspondant.

Créer et/ou publier une page Web non interactive

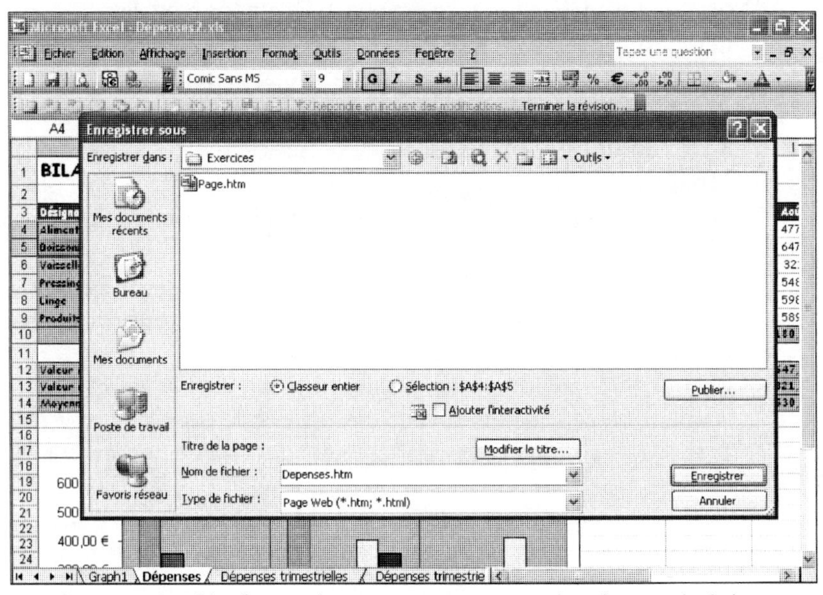

Il est préférable d'éviter les espaces et accents dans le nom du fichier car ils ne sont pas toujours bien interprétés par les serveurs Web.

Créer et/ou publier une page Web non interactive (suite)

↳ Dans la liste **Choisissez**, sélectionnez l'élément à publier.

Cette liste varie selon le contenu du classeur.

Assurez-vous que l'option **Ajouter l'interactivité avec** est bien décochée.

Pour **Modifier** le titre saisi à l'étape précédente, cliquez sur le bouton **Modifier**.

*Le champ **Nom de fichier** reprend par défaut le nom de fichier défini dans l'étape précédente.*

Pour publier la page Web sur un serveur Web, modifiez l'adresse proposée en respectant cette syntaxe : http://adresse_serveur/fichier.htm.

Cochez l'option **Republier automatiquement lors de chaque enregistrement de ce classeur** si vous désirez que la page Web soit mise à jour à chaque fois que vous enregistrez des modifications sur le fichier source.

Cochez l'option **Ouvrir la page publiée dans un navigateur** afin de visualiser dès la fin de la publication, la page Web dans le navigateur défini par défaut.

Cliquez sur le bouton **Publier**.

Le navigateur défini par défaut s'ouvre et affiche la page Web.

Après consultation, fermez la fenêtre du navigateur.

Si vous avez enregistré la page Web sur un disque local, vous pouvez contrôler le résultat en ouvrant le fichier htm dans votre navigateur et en cas de nécessité, modifier le classeur d'origine à partir duquel la publication a été effectuée puis, lorsque le résultat vous convient, publier à nouveau la page Web suivant cette même procédure mais en remplaçant l'adresse de votre disque local par l'adresse du serveur Web.

Si vous avez enregistré (et non publié) un classeur entier comme page Web non interactive, il est possible de prévisualiser la page sans la publier ; pour cela utilisez la commande **Aperçu de la page Web** du menu **Fichier** après avoir ouvert le fichier htm concerné.

Pour visualiser une page Web non interactive, ouvrez-la comme un classeur ordinaire dans l'application Excel puis utilisez **Fichier - Aperçu de la page Web**.

Créer et/ou publier une page Web non interactive (suite)

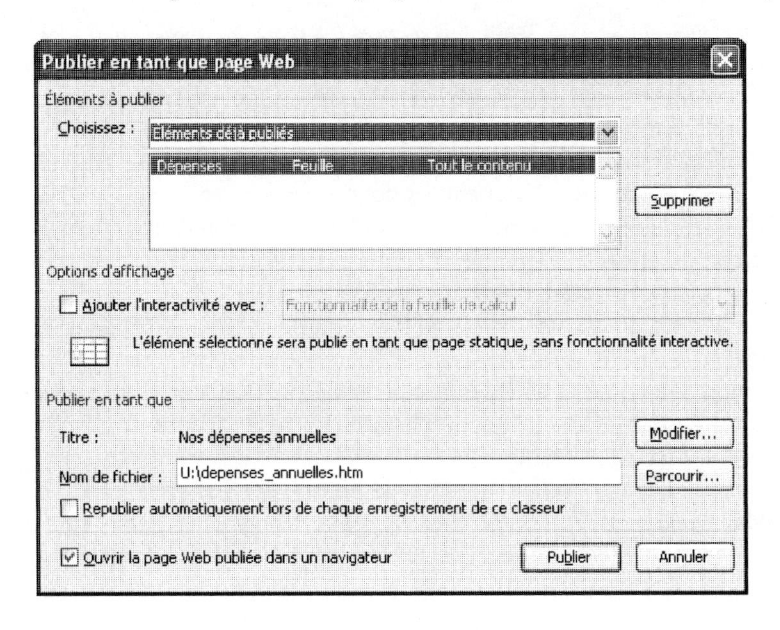

Créer et/ou publier une page Web interactive

Pour travailler dans une page Web interactive (c'est-à-dire modifiable), les visiteurs de cette page devront disposer sur leur ordinateur du navigateur Internet Explorer 4.01 (ou version ultérieure) ainsi que d'une licence Microsoft Office appropriée pour utiliser des feuilles de calcul, des graphiques ou des listes de tableau croisé dynamique publiés uniquement à partir de Microsoft Excel.

Créez ou ouvrez le classeur contenant les données à publier.

Si vous souhaitez publier uniquement une des feuilles du classeur, activez-la en cliquant sur l'onglet correspondant.

Fichier - Enregistrer en tant que Page Web

Sélectionnez le nom du dossier (Web ou local) ou du serveur Web dans la zone **Enregistrer dans.**

Activez l'option **Sélection : Feuille** puis cochez la case **Ajouter l'interactivité**.

Tapez le **Nom de fichier** dans la zone de saisie correspondante et cliquez sur le bouton **Modifier le titre**, si nécessaire.

Pour **Enregistrer** la page Web, cliquez sur le bouton correspondant.

La page Web au format htm s'affiche et le fichier d'origine se ferme automatiquement (dans le cas de fichier interactif, Excel ne génère aucun dossier de prise en charge).

Pour **Publier** la page Web sur un serveur, cliquez sur le bouton correspondant.

↳ Dans la liste **Choisissez**, sélectionnez l'élément à publier (excepté **Classeur entier**).

Précisez dans la liste **Ajouter l'interactivité avec**, la fonctionnalité Excel que vous souhaitez mettre à la disposition des internautes/intranautes.

Cochez l'option **Ouvrir la page publiée dans un navigateur** pour visualiser la page Web dans le navigateur défini par défaut.

Cliquez sur **Publier**.

↳ Excel publie la page Web sur le serveur choisi et enregistre, par la même occasion, le fichier au format htm ainsi qu'un dossier contenant les composants. En cochant l'option **Republier automatiquement lors de chaque enregistrement de ce classeur**, après chaque modification une mise à jour des éléments publiés est renvoyée sur le serveur Web.

Fermez le navigateur après consultation.

Fermez le fichier, si besoin est.

Utilisez l'Explorateur Windows pour supprimer la page Web (nompage.htm) et ses composants (nompage_fichiers).

Créer une page Web interactive

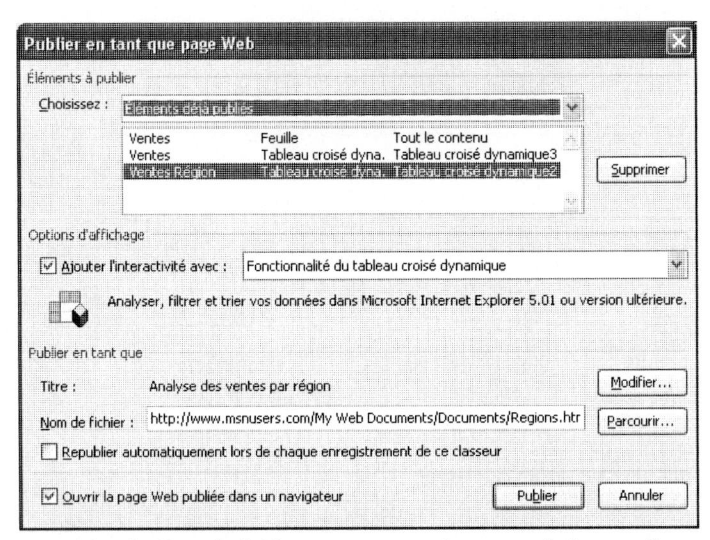

*Pour modifier le **Nom de fichier**, vous pouvez cliquer sur le bouton **Parcourir**.*

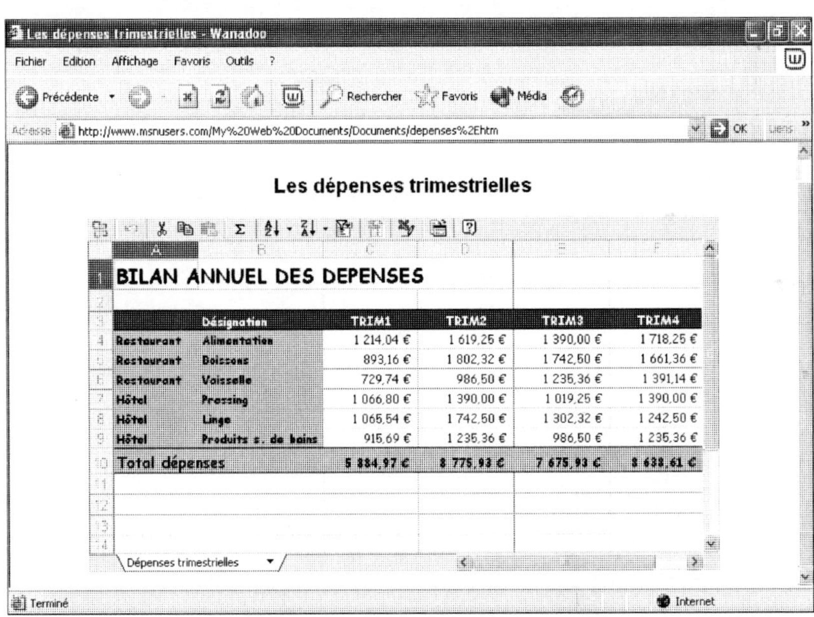

BILAN ANNUEL DES DEPENSES

	Désignation	TRIM1	TRIM2	TRIM3	TRIM4
Restaurant	Alimentation	1 214,04 €	1 619,25 €	1 390,00 €	1 718,25 €
Restaurant	Boissons	893,16 €	1 802,32 €	1 742,50 €	1 661,36 €
Restaurant	Vaisselle	729,74 €	986,50 €	1 235,36 €	1 391,14 €
Hôtel	Pressing	1 066,80 €	1 390,00 €	1 019,25 €	1 390,00 €
Hôtel	Linge	1 065,54 €	1 742,50 €	1 302,32 €	1 242,50 €
Hôtel	Produits s. de bains	915,69 €	1 235,36 €	986,50 €	1 235,36 €
Total dépenses		5 884,97 €	8 775,93 €	7 675,93 €	8 638,61 €

Le visiteur de cette page pourra modifier le contenu et la présentation du tableau croisé directement dans un navigateur.

NOTES PERSONNELLES

Accès aux menus et options

Shift F10	Menu contextuel de la sélection
	Menu Système de la fenêtre du document
Ctrl F5	Restauration
Ctrl F7	Déplacement
Ctrl F8	Dimension
Ctrl F9	Réduction
Ctrl F10	Agrandissement
Ctrl F4 ou Ctrl **W**	Fermeture
Ctrl F6	Fenêtre suivante
	Menu Système de la fenêtre de l'application
Alt F4	Fermeture
Ctrl Echap	Ouvre le menu **Démarrer**
	Fichier
Ctrl **N**	Nouveau
Ctrl **O**	Ouvrir
Ctrl **S**	Enregistrer
F12	Enregistrer sous
Ctrl **P**	Imprimer
Alt F4	Quitter
	Edition
Ctrl **Z**	Annuler
Ctrl **Y**	Répéter
Ctrl **X**	Couper
Ctrl **C**	Copier
Ctrl **V**	Coller
	Effacer
Suppr	Contenu
Ctrl **-**	Supprimer
Ctrl **F**	Rechercher
Shift F4	Suivant
Ctrl Shift F4	Précédent
Ctrl **H**	Remplacer
F5 ou Ctrl **T**	Atteindre

Raccourci	Commande
	Insertion
Ctrl +	Cellule, Ligne, Colonne
⇧ Shift F11	Feuille de calcul
	Graphique
F11	Comme nouvelle Feuille
	Nom
Ctrl F3	Définir
F3	Coller
Ctrl ⇧ Shift F3	Créer
⇧ Shift F2	Commentaire
Ctrl **K**	Lien hypertexte
	Format
Ctrl **I**	Italique
	Ligne
Alt "	Masquer
Alt _	Afficher
	Colonne
Alt (	Masquer
Alt)	Afficher
Alt '	Style
	Outils
F7	Orthographe
	Macro
Alt F8	Macros
Alt F11	Visual Basic Editor
Alt ⇧ Shift F11	Microsoft Script Editor
	Calcul
F9	Calculer maintenant
⇧ Shift F9	Calculer document
	Données
	Grouper et créer un plan
Alt ⇧ Shift →	Grouper
Alt ⇧ Shift ←	Dissocier

Aide (?)

F1	Aide sur Microsoft Excel
⇧ Shift F1	Qu'est-ce-que c'est ?

Combinaisons de touches diverses

Saisies particulières

Ctrl ;	La date du jour
Ctrl :	L'heure
Ctrl $	Valeur de la cellule du dessus
Alt Entrée	Saut de ligne
Ctrl Alt ⇄	Tabulation dans une zone de texte
Alt =	Formule Somme automatique
Ctrl ⇧ Shift Entrée	Formule matricielle
Suppr	Efface formules et données
Alt ↓	Afficher la liste des saisies semi-automatique

Barre de Formule

F2	Accès au mode Modifier
=	Début d'une formule
Ctrl Suppr	Suppression à partir du point d'insertion jusqu'à la fin de la ligne
Echap	Annulation de la saisie
Entrée	Validation
Ctrl Entrée	Saisie en cours dans les cellules sélectionnées
F4	Références absolues/relatives
Ctrl A	Après la saisie d'un nom de fonction, affiche la palette de forme
Ctrl ⇧ Shift A	Après la saisie d'un nom de fonction, affiche les arguments de la fonction

Mise en forme de cellule

Ctrl '	Aucune bordure
Ctrl G	Attribut Gras
Ctrl I	Attribut Italique
Ctrl U	Attribut Souligné

Format des nombres et des dates

Ctrl **R**	Format numérique standard
Ctrl **!**	Format milliers à deux décimales (# ##0,00)
Ctrl **M**	Format monétaire à deux décimales (# ##0,00 F)
Ctrl **E**	Format numérique exponentiel à deux décimales (0,00E + 00)
Ctrl **J**	Format date (jj/mm/aa)
Ctrl **Q**	Format heure (h:mm AM/PM)

Le mode Plan

Alt ⇧ Shift ←	Dissocie une ligne ou une colonne d'un groupe
Alt ⇧ Shift →	Associe une ligne ou une colonne à un groupe
Ctrl **L**	Affiche/masque les symboles du plan

Affichage

Ctrl **_**	Affiche/masque la barre d'outils **Standard**

Sélections

Ctrl **A**	Toute la feuille
Ctrl Espace	Colonne
⇧ Shift Espace	Ligne
F8	Extension de sélection
⇧ Shift F8	Ajout de sélection

Sélections de cellules particulières

Ctrl ⇧ Shift **O**	Cellules contenant une annotation
Ctrl *****	Plage rectangulaire de cellules autour de la cellule active
Ctrl **/**	Totalité de la matrice à laquelle appartient la cellule active
Ctrl **8**	Cellules auxquelles les formules de la sélection font directement référence
Ctrl **9**	Cellules auxquelles les formules de la sélection font directement ou indirectement référence
Ctrl **6**	Cellules contenant des formules qui font directement référence à la sélection active
Ctrl **7**	Cellules contenant des formules qui font directement ou indirectement référence à la sélection active
Alt **;**	Cellules visibles dans la sélection en cours

Ctrl (	Cellules des lignes sélectionnées dont le contenu est différent de la cellule de comparaison. Pour chaque ligne, la cellule de comparaison se trouve dans la même colonne que la cellule active
Ctrl)	Cellules des colonnes sélectionnées dont le contenu est différents de la cellule de comparaison. Pour chaque colonne, la cellule de comparaison se trouve dans la même ligne que la cellule active

Déplacements d'une fenêtre à l'autre

Ctrl F6 ou Ctrl ⇄	Fenêtre suivante
Ctrl ⇧Shift F6 ou Ctrl ⇧Shift ⇄	Fenêtre précédente
Ctrl Pg Dn	Feuille suivante dans le classeur
Ctrl Pg Up	Feuille précédente dans le classeur
F6	Volet suivant
⇧Shift F6	Volet précédent

A

B

C

F

G

I

L

M

Liste des titres disponibles de la collection Repère

Consultez notre site Internet pour avoir la liste des derniers titres parus.
http://www.editions-eni.com

ACCESS 2002 – Fonctions de base
ACCESS 2002 – Fonctions avancées
ACCESS 2000 - Fonctions de base
ACCESS 2000 - Fonctions avancées
ACCESS 97 - Fonctions de base
ACCESS 97 - Fonctions avancées
EXCEL 2003 – Fonctions de base
EXCEL 2003 – Fonctions avancées
EXCEL 2002 - Fonctions de base
EXCEL 2002 - Fonctions avancées
EXCEL 2000 - Fonctions de base
EXCEL 2000 - Fonctions avancées
EXCEL 97 - Fonctions de base
EXCEL 97 - Fonctions avancées
INITIATION A LA MICRO INFORMATIQUE
INTERNET EXPLORER 6
INTERNET EXPLORER 5
LOTUS NOTES 6 - Utilisateur
LOTUS NOTES 5 – Messagerie et environnement utilisateur
OUTLOOK EXPRESS (version 6)
OUTLOOK EXPRESS (version 5)
OUTLOOK 2002 - Utilisateur
OUTLOOK 2000 - Utilisateur
OUTLOOK 98 – Utilisateur
POWERPOINT 2002 – Création et utilisation de diaporamas
POWERPOINT 2000 - Création et utilisation de diaporamas
POWERPOINT 97 - Création et utilisation de diaporamas
WINDOWS XP
WINDOWS XP – Optimiser le poste de travail
WINDOWS XP – Communication et Multimédia
WINDOWS 2000 - Utilisateur
WINDOWS MILLENNIUM
WINDOWS 98
WINDOWS 95
WINDOWS NT 4 – Utilisateur
WORD 2003 – Fonctions de base
WORD 2002 – Fonctions de base
WORD 2002 – Fonctions avancées
WORD 2000 - Fonctions de base
WORD 2000 - Fonctions avancées
WORD 97 - Fonctions de base
WORD 97 - Fonctions avancées
WORKS 2000
WORKS 2003